個人的な体験

大江健三郎

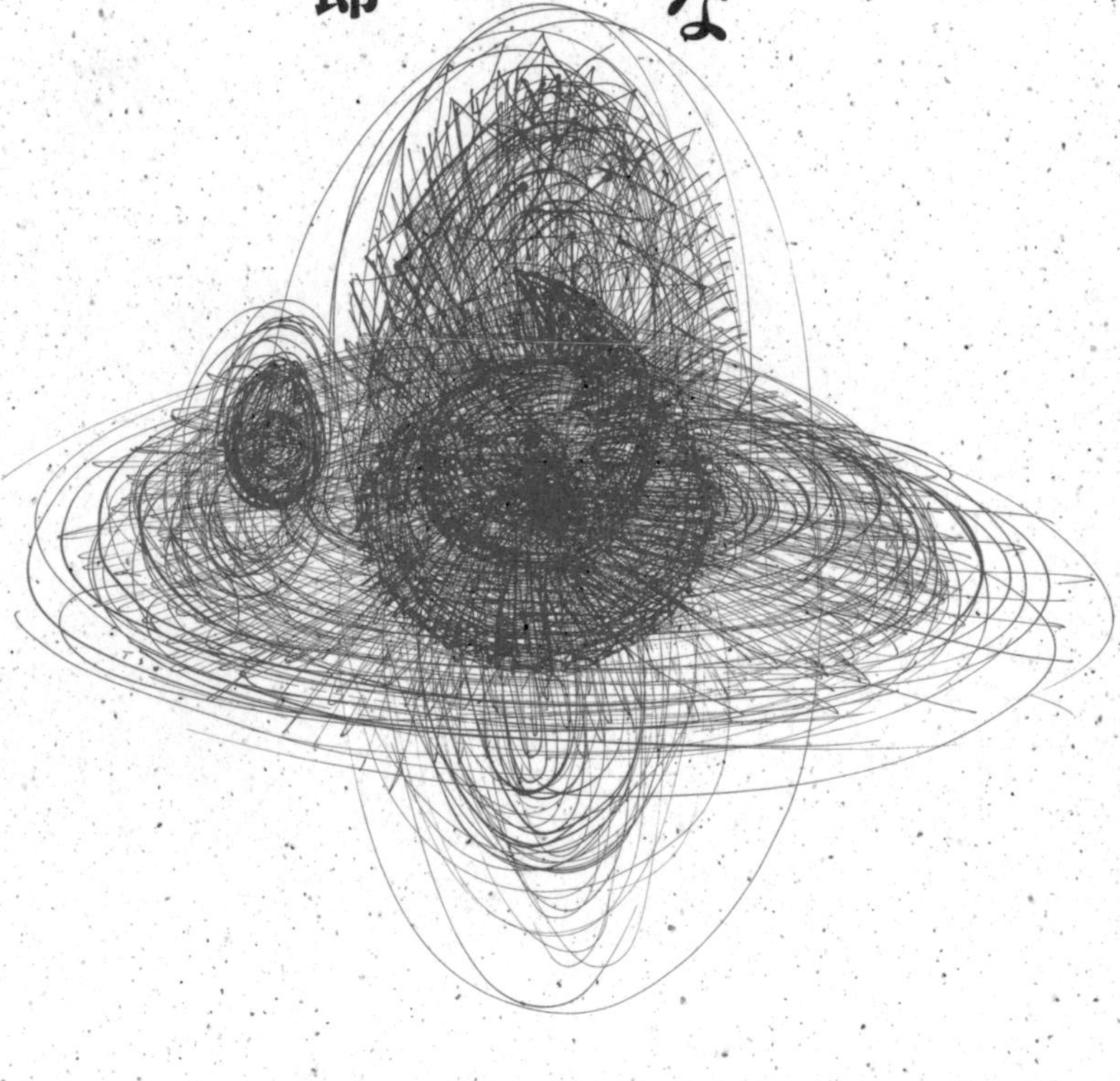

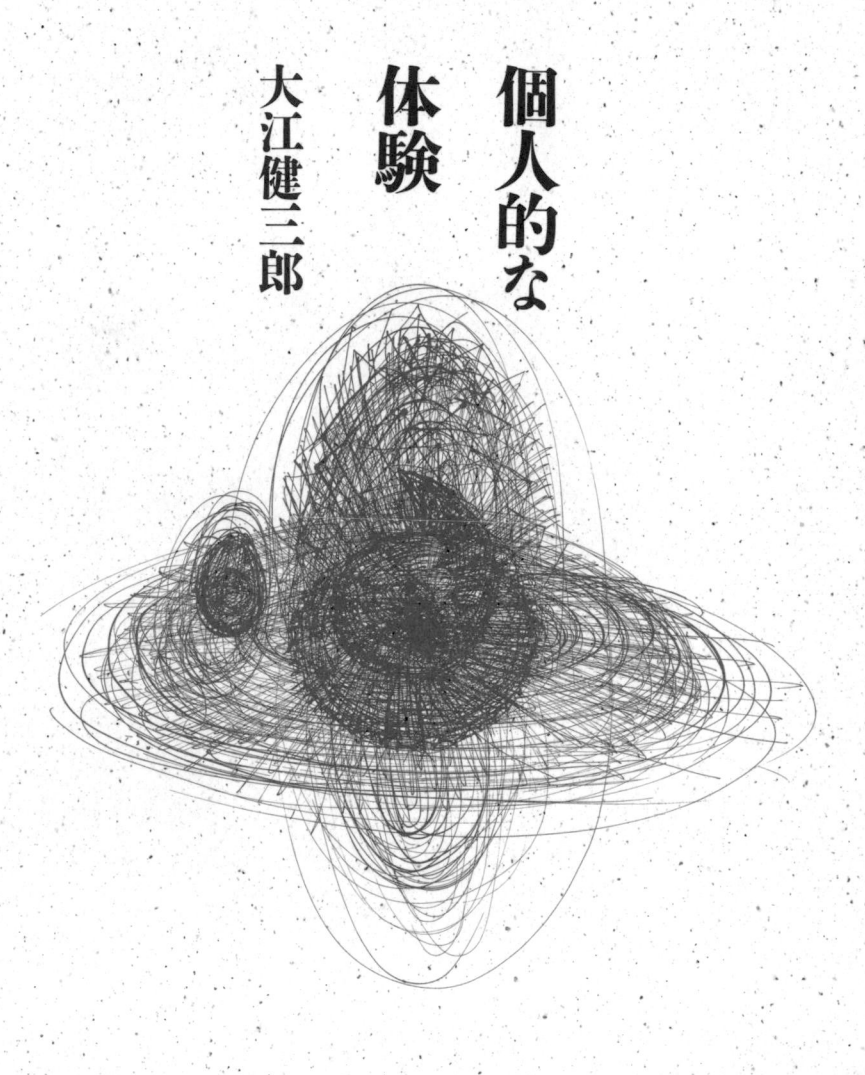

新潮社

個人的な体験

1

鳥(バード)は、野生の鹿のようにも昂然と優雅に陳列棚におさまっている、立派なアフリカ地図を見おろして、抑制した小さい嘆息をもらした。制服のブラウスからのぞく頸や腕に寒イボをたてた書店員たちは、とくに鳥(バード)の嘆息に注意をはらいはしなかった。夕暮が深まり、地表をおおう大気から、死んだ巨人の体温のように、夏のはじめの熱気がすっかり脱落してしまったところだ。誰もが、その皮膚にわずかにのこっている昼間のあたたかさの記憶を無意識のうす暗がりのなかで手さぐりする身ぶりをしては、あいまいな嘆息をもらしている。六月、午後六時半、市街にはすでに汗をかいているものはいない。しかし、鳥(バード)の妻は、ゴム布の上に裸で横たわり、撃たれて落下する雉子のように眼を硬くつむって、体じゅうのありとある汗穴から、厖大な数の汗粒をにじみださせ、痛みと不安と期待に呻き声をあげているだろう。

鳥(バード)は身震いして、地図の細部に眼をこらした。アフリカをめぐる海は、冬の夜明けの晴れわたった空のように涙ぐましいブルーで刷られている。緯度、経度ともコンパスでひかれたメカニックな線でなく、画家の人間らしい不安定と余裕とを感じとらせる肉太な線で表現されている。それはアイボリイ・ブラックだ。アフリカ大陸は、うつむいた男の頭蓋骨の形に似ている。この大頭の男は、コアラとカモノハシとカンガルーの土地オーストラリアを、憂わしげな伏眼で見ている。地図の下の隅の人口分布を示す小さなアフリカは腐蝕しはじめている死んだ頭に似ているし、交通関係を示す小さなアフリカは皮膚を剝いで毛細血管をすっかりあらわにした傷ましい頭だ。それらはともに、なまなましく暴力的な変死の印象をよびおこす。

「陳列からとりだしてお眼にかけますか?」

「いや、ぼくがほしいのは、これではなくて、ミシュランの西アフリカ図と、中央および南アフリカ図です」と鳥(バード)はいった。

書店員が、様ざまな種類のミシュラン自動車旅行者用地図がぎっしりつまった書棚に屈みこんでせわしげに探しはじめると、鳥(バード)はいかにもアフリカ通らしく、

「番号は、182と155です」と声をかけた。

かれが嘆息しながら見つめていたのは、ずっしりした置物みたいな総皮装の世界全図の一ページだった。かれは数週間前すでに、その豪華本の値段を確かめてみたが、それは、予備校教師としてのかれの給料の五箇月分にあたる。臨時の通訳の収入をいれるなら、三箇月で、鳥(バード)はそれを手に入れることができるだろう。しかし、鳥(バード)は、かれ自身と妻と、そしていま、存在しはじめよ

うとしているものとを、養わねばならない。かれは家庭の首長だ。

書店員は赤い紙表紙の地図を二種類選びだして陳列棚の上においた。彼女は小さく汚れた掌をもっていて、その指は灌木にすがりついているカメレオンの肢さながらの卑しさだった。その指がふれている地図のマーク、輪まわしのやり方でタイヤを押しながら走っている蛙じみたゴム人間のマークに眼をとめて、鳥（バード）はつまらない買物をしているという気分になった。しかしそれは重要な実用地図なのだ。鳥（バード）は、いま買おうとしている地図とはちがう、陳列棚のなかの贅沢な地図のことを未練がましく訊ねてみた。

「なぜこの世界全図は、いつもアフリカのページがひらかれてあるんです？」

書店員は、なんとなく警戒して黙っていた。

なぜこれは、いつもアフリカのページがひらかれてあるのだろう？　と鳥（バード）は自問自答をはじめた。書店主がこの本のうちアフリカのページがもっとも美しいと考えているわけだろうか？　しかし、アフリカのように、めまぐるしく変化しつつある大陸の地図は、その古びかたも早い。そこから世界全図の総体への侵蝕がはじまるのだ。したがってアフリカの地図のページをひらいておくことは、この世界全図の古さを端的に広告してしまうことになるだろう。それでは政治関係がすっかり固定してしまって、もう決して古びない大陸の地図としては、どこを選ぶべきだろうか。アメリカ大陸、それも北アメリカ大陸？　鳥（バード）は、その自問自答を途中でやめて、赤い表紙のふたつのアフリカ地図を買うと、肥りすぎの裸婦のブロンズとモンスター・ツリイの鉢うえのあいだの通路をうつむいて通りすぎ階段を降りた。ブロンズの下腹は欲求不満な連中の掌の脂にまみれ犬の鼻のように濡れた光をはなっていた。鳥もまた学生の時分、そこに指をふれて通りすぎていたものだったが、いまはブロンズをまっすぐ見つめる勇気さえもたなかった。裸で横たわっているかれの妻の脇で、医師と看護婦たちが、それぞれ肱までむきだした腕を消毒液でザブザブ洗っているところをかれは覗いてしまったのだった。医師の腕はすっかり毛むくじゃらだった。

　混雑している一階の雑誌売場をぬけるとき、鳥は、地図をくるんだハトロン紙包みを、注意深く背広の外ポケットにさしこみ、腕でおさえて歩いた。それは、鳥がはじめて買った、実用向きのアフリカ地図だった。しかし、おれが現実にアフリカの土地を踏み、濃いサン・グラスをかけてアフリカの空を見あげる日はおとずれるだろうか？　と鳥は不安な思いで考えた。むしろおれは、いま、この瞬間にもアフリカへ出発する可能性を決定的にうしないつつあるのではないか？　すなわち、おれは、いま、自分の青春の唯一で最後のめざましい緊張にみちた機会に、やむなく別れをつげつつあるのではないか？　もしそうだとしても、しかし、もうそれをまぬがれることはできない。

　鳥は憤ろしげに荒あらしく洋書店の扉をおして初夏の夕暮の舗道に出た。空気の汚れと薄暗がりのせいで霧にとざされたような感じの舗道。厚表紙の新着洋書をならべてある飾り窓の中で螢光燈をとりかえていた電気工事夫が鳥の前に背を屈めて跳び降りてきたので、鳥は驚いて一歩退り、そのまま暗く翳っている広いガラス窓のなかの自分自身、短距離ランナーほどのスピードで老けこみつつある自分自身を眺めた。鳥、かれは二十七歳と四箇月だ。かれが鳥という渾名でよばれるようになったのは十五歳のころだった。それ以来かれはずっと鳥だ、いま飾り窓のガラスの暗い墨色をした湖にぎこちない恰好で水死体のように浮んでいる現在のかれも、なお鳥に似ている。鳥は小柄で、痩せっぽちだ。かれの友人たちは大学を卒業して就職したとたんに肥りはじめ、それでもなお痩せていた連中さえ結婚すると肥ったけれども、鳥ひとりは、幾分腹がふくれてきただけで痩せたままだった。かれはいつも肩をそびやかして前屈みに歩く、立ちどまっている時もおなじ姿勢だった。それは運動家タイプの痩せた老人の感じだ。かれのそびやかした肩は閉じられた翼のようだし、容貌自体、鳥をしのばせる。すべすべして皺ひとつない渋色の鼻梁はクチバシのように張って力強く彎曲しているし、眼球はニカワ色のかたく鈍い光をたたえて、ほとんど感情をあらわすことがない。ただ、時どき、驚いたように激しく見ひらかれるだけだ。唇はいつもひきしめられて薄く硬く、頬から顎にかけては鋭くとがっている。そして、赤っぽく炎のように燃えたって空にむかっている髪。鳥は十五歳のとき、すでにこのままの顔をしていた、二十歳でもそうだった。かれはいつまで鳥のようであるのだろう？　十五歳から六十歳にいたるまで、おなじ顔、おなじ姿勢で、生きるほかない、そのような種類の人間なのか？　そうだとすれば、鳥はいま、飾り窓のガラスのなかにかれの全生涯をつうじてのかれ自身を眺めているのだった。鳥は嘔きたくなるほど切実に具体的な嫌悪感におそわれて身震いした。かれはひとつの啓示をうけた気分だった、疲れはてて子沢山の老いぼれ鳥……

　その時、ガラスの奥のほの昏い湖のなかを、どこか確実に奇妙なところのある女が、鳥にむかって近づいてきた。肩幅のがっしりした大女で、ガラスに映っている鳥の頭の上にその顔がでるほどの背の高さだった。鳥は背後から怪物に襲撃されたような気分で、つい身がまえながらふりかえった。女はかれのすぐ前に立ちどまって、穿鑿するように真剣な表情で、鳥をしげしげと見つめていた。緊張した鳥もまた、女を見かえした。一瞬あと、鳥は女の眼の中の硬く尖った緊急なものが憂わしげな無関心の水に洗いさられるのを見た。女は鳥にたいして、それがどのような性質のものであるかは判然としないにしてもともかく一種の利害関係のきずなを発見しかけていたのだが、不意に、鳥が、そのきずなにふさわしい対象ではないことに気づいたのだ。その時になって鳥の方でも、ふさふさとカールした豊かすぎるほどの髪につつまれたフラ・アンジェリコの受胎告知図の天使みたいな顔の異常、とくに上唇に剃りのこされた数本の髭を見出した。それはすさまじい厚化粧の壁をつらぬいてとびだし、たよりなげに震えている。

「やあ！」と大女は闊達に響く若い男の声で、軽率な失敗に自分自身閉口しているといった挨拶をした。それは感じがよかった。

「やあ！」と鳥は急いで微笑して、これもかれを鳥じみた印象にする属性のひとつの、いくらか嗄れた甲高い声で挨拶をかえした。

男娼がそのままハイヒールの踵で半回転してゆったりと歩み去るのをちょっと見送り、その逆の方向に鳥は歩きだした。鳥は狭い路地をぬけ、都電の通っている広い舗道を、注意深く警戒しながら渡って行った。時どき痙攣的なほどにも激しくなる鳥の神経過敏な要心深さもまた、怯えて気のくるいかけた小っぽけな鳥のことを思わせる。とにかく鳥という渾名はかれによく似合っている。

あいつは、飾り窓に自分を映してみながら誰かを待ちうけている様子のおれを、性倒錯者とまちがえたわけだ、と鳥は考えた。それは不名誉な誤解だが、ふりかえったかれを見て、男娼が、ただちにその誤解に気がついた以上、かれの名誉は回復されたのである。そこで鳥は、いまその滑稽感だけを楽しんでいた。やあ！　というのはあの際じつにしっくりした挨拶ではないか。あいつは相当に知的な人間にちがいない。鳥は大女に扮した若者に突発的な友情を感じた。今夜あの若者は、うまい具合に、性倒錯者を見つけだして鴨にすることができるだろうか？　むしろ、おれが勇気をふるいおこして、かれについて行くべきだったかもしれない。鳥は、自分があの男娼と二人で、どこかのわけのわからないおかしな隅っこに入りこんでいったのだったら、と空想しながら、舗道を渡りきって酒場や軽飲食店のならぶ盛り場の一郭へ入りこんで行った。あの男とおれとは、兄弟のように仲良く裸で寝そべって話しあうだろう。おれまで裸になっているのはあの男を窮屈な気持から救うためだ。おれはいま妻が出産しつつあるということをうちあけるだろう。また、おれがずいぶん前からアフリカを旅行したいと考えており、その旅行のあと《アフリカの空》という冒険記を出版することが、夢のまた夢であることを話すだろう。そして、いったん妻が出産し、おれが家族の檻に閉じこめられたなら（現に結婚以来、おれはその檻のなかにいるのだが、まだ檻の蓋はひらいているようだった。しかし生れてくる子供がその蓋をガチリとおろしてしまうわけだ）おれにはもうアフリカへひとりで旅に出ることなどまったく不可能になるということを話すだろう。あの男は、おれを脅かしているノイローゼの種子のひと粒ひと粒を丹念にひろいあつめて理解してくれるにちがいない。なぜなら、自分の内部の歪みに忠実であろうとして、ついには女装して性倒錯の仲間を街にさがしもとめるにいたった、そういう若者は、無意識の深い奥底に根をはる不安や恐怖感に本当に鋭敏な眼と耳と心とをもった種族であろうからだ。

　明日の朝、あいつとおれとはラジオのニュースでも聞きながら、むかいあって髭を剃ることになったかもしれない、ひとつのシャボン壺を使って。あいつはまだ若かったが、それにしては髭の濃さそうな男だったから、と鳥は考え、そこで空想の鎖を切って微笑した。あいつと一緒に夜をすごすのは無理にしても、一杯だけ飲みに誘うべきだった。鳥はいま軒なみにこじんまりした安酒場のならぶ通りを、酔っぱらいが幾人もはいりこんでいる雑踏にまぎれて歩いていた。かれは喉が渇いていて自分だけでも、一杯飲みたい気分だった。鳥は痩せて長い頸を素早くめぐらして通りの両側の酒場を物色した。しかし、実際のところかれは、どの酒場にも入ってゆくつもりはなかった。もし、かれがアルコールの匂いをぷんぷんたてて、妻と新生児のベッド脇にかけつけたとしたら、かれの義母はどのような反応を示すだろう！　鳥は、義母のみならず義父にも、アルコール飲料にとらえられた自分を再び見せたくなかった。停年まで義父は、鳥が卒業した官立大学の英文学科の主任教授だった。そしていま、私立大学に移って講座をひらいている。鳥が、かれの年齢で予備校の教師のポストをえることができたのは、幸運というより、義父の好意のたまものなのだ。鳥は、義父を愛していたし、畏怖してもいた。かれは鳥が出会った、もっとも巨大なところのある老人だった。鳥はかれをあらためて失望させたくなかった。

　鳥は二十五歳の五月に結婚したが、その夏、四週間のあいだ、ウイスキーを飲みつづけた。突然かれは、アルコールの海を漂流しはじめたのだ。かれは泥酔したロビンソン・クルーソーだった。鳥は大学院学生としてのすべての義務を放擲し、アルバイトもかれ自身の勉強も、なにもかも棄ててかえりみず、深夜はなおさらのこと真昼のあいだも、暗くしたリヴィング・キッチンでレコードを聴きながら、ただウイスキーを飲んでいた。いまとなっては、あの最悪の日々鳥は、ウイスキーを飲んで音楽を聴くことと酔いつぶれて辛い眠りを眠ることのほかに、生きている人間らしい行為をなにひとつしなかったような気がする。四週間後、かれは七百時間もつづいた深く苦渋にみちた酔いから蘇り、戦火にまみれた都市ほどにも荒廃しきった、惨めな醒めた自分を見出した。鳥はほんのわずかな復活の見こみしかない精神的禁治産者として、かれの内部の曠野はもとより、かれをとりまく外部との関係の曠野を開拓しなおす試みをはじめねばならなかった。

鳥は大学院に退学届をだし、義父に予備校の教師のポストを探してもらった。それから二年たっていま、かれは、妻の出産をむかえようとしているのである。その鳥が再びアルコールの毒に血を汚して妻の病室にあらわれたなら、義母は、その娘と孫とをひきつれて死にものぐるいの勢いで逃げうせるにちがいない！

鳥自身、自分のなかにいまも残る隠微ながら根強いアルコールへの指向を警戒していた。ウイスキーの地獄の四週間以来、かれはなぜ、自分が七百時間も酔いつづけたのかをくりかえし考えてきたが、確たる理由にたどりつけたことはなかった。自分がなぜウイスキーの深淵にもぐりこんだのかわからない以上、再び、不意にそこへ立ち戻ってしまう危険は、つねにのこされているわけだ。鳥が、あの四週間の真の意味を理解していないあいだは、新しい惨めな四週間から身をまもる防禦手段もまた、かれのものになってはいない。

鳥はかれがつねに熱中して読むアフリカ関係書のひとつの探検史で、このような一節に出会った《探検家たちが例外なく語る村人たちの泥酔騒ぎは、今もあり、そのことは今もなおこの美しい国の生活には何か欠けるものがあること、絶望的な自暴自棄へ人々を追いこむ根源的な不満があることを示している》これはスーダンの荒野の集落の村人たちについての言葉だが、それを読んで鳥は、自分自身の生活の内なる何か欠けるものと根源的な不満について徹底して考えてみることを自分が避けていることに思い到った。しかしそれらは確実に存在するのだから、そこで鳥はいま注意深くアルコール飲料を拒んでいるのである。

鳥は、その放射状の盛り場の焦点にあたるもっとも奥の広場に出た。正面の大劇場の電光時計は七時を指している。病院の義母に電話をかけて産婦の安否を問う時間だ。かれは午後三時から一時間ごとに電話をかけてきたのだった。鳥はあたりを見まわした。広場の周囲にいくつもの公衆電話があったが、それらはすべてふさがっている。鳥は妻の出産の進み具合についてよりもむしろ、受付の入院患者専用の電話のまえにたたずんで、かれからの連絡を待っている義母の神経のことを考えて苛いらした。その病院に娘を運びこんで以来ずっと義母は、自分がそこで不当に侮蔑的な待遇をうけているという固定観念にとらえられているのだった。あの電話を他の患者の家族が占拠していればいいんだが、と鳥はあわれな望みをかけた。それから鳥は通りをひきかえして酒場や喫茶店、お汁粉屋、中華そば屋、とんかつ屋、洋品店などなどを物色した。それらのひとつに入りこんで、電話を借りるという手があるわけだ。しかしできることなら酒場は避けたかったし、すでに食事も終えていた。胃薬でも買うことにしようか？

鳥(バード)は薬屋を探して歩いて行き、四つ角に面した風変りな店の前に出た。その店の庇には、腰をおとして身がまえ拳銃を発射しようとしているカウ・ボーイの巨大な絵看板が吊りさげられている。鳥(バード)は、カウ・ボーイの拍車つき長靴が踏みしだいているインディアンの頭にしるされた、《ガン・コーナー》という飾り文字を読んだ。店内には紙の万国旗と黄や緑のモールがはりめぐらされた下に極彩色の箱型の装置がいちめんに並べられ、鳥(バード)よりもずっと若い連中がしきりに右往左往している。鳥(バード)は赤と藍のカラー・テープでふちどりしたガラス戸ごしに店内を見わたし、奥の隅に、朱色の電話機が置かれているのを確かめた。

鳥(バード)はすでに流行遅れのロックン・ロールを叫びたてているジューク・ボックスとコカ・コーラ自動販売機のあいだをぬけて、乾いた泥に汚れている板張りの店内に入りこんで行った。たちまち耳の奥で花火がとどろきはじめたような具合だ。鳥(バード)は、スロット・マシーンや投げ矢(ダーツ)、それに箱のなかの風景のミニアチュアを狙ってライフル銃を撃つ装置(ミニアチュアの森かげを、茶色の鹿や白いウサギ、緑の巨大なカエルなどが小さなベルト・コンベアにのって動いている。鳥(バード)がその脇をとおりすぎるとき、上機嫌で笑っている女友達に見守られた高校生がカエルを一匹撃ち、装置の手前の点数表示器は5点加算した)などと、それらにむらがるハイ・ティーンたちのあいだを迷路を歩くように苦労しながらすりぬけて電話機にたどりついた。かれは片方の耳に、遠方でコールする音をすでに暗記してしまった病院の番号をダイヤルした。鳥(バード)は、硬貨を差しこむと、片方の耳に、遠方でコールする音を、そしてもう片方の耳に、ロックン・ロールと、一万匹の蟹がそろって駈ける足音を聴いた。遊び道具に夢中のハイ・ティーンたちが、毛ばだった床板を、手袋みたいに柔らかいイタリアン・

シューズの底で、しきりにこすりつけている響き。義母はこの喧噪をいったいなんだと思うだろう？　電話の時間に遅れたことと共に、この騒音についても弁解すべきだろうか？　コールする音が四度きこえたあと、妻の声をいくらか幼なくしたような義母の声が答えた。鳥(バード)は、結局なにひとつ弁解せず、すぐさま妻の安否を訊ねた。

「まだです、まだ生れてきません、あの子は死ぬほど苦しんでいるのに、まだです。まだ生れてきません」

鳥(バード)は一瞬言葉に窮したまま、エボナイトの受話器にあけられた数十の蟻穴を見つめた。黒い星にかざられた夜の空のようなその表面は鳥(バード)の吐息のたびに曇ったり晴れたりした。

「それじゃ、八時にお電話します、さようなら」と一分後に鳥(バード)はいって、受話器を置き、溜息をついた。

鳥(バード)のすぐ脇にミニアチュア・カーでドライヴする装置がおかれていて、フィリッピン人みたいな少年が、運転台に坐り、ハンドルを操作していた。ミニアチュアのジャガー・Eタイプが装置の中央にシリンダーで支えられ、そのすぐ下を田園風景を描いたベルトが、回転しつづけているので、ジャガー・Eタイプは郊外の素晴しい道をいつまでも疾走していることになる。道は果てしなくくねくねと曲り、たえまなく牛や羊、子守り娘などの障害物が現れてはジャガー・Eタイプを危うくする。小刻みにハンドルを切ってシリンダーを動かし、車を事故から救うのが、ゲームの遊び手の仕事だ。少年は、浅黒く短い額に皺を深くきざんで熱中してハンドルに屈みこんでいた。少年はベルトの循環運動にいつか終りがきて、かれのジャガー・Eタイプが目的地に到着することがあると錯覚してでもいるように、鋭い犬歯で嚙みしめた薄い唇のあいだから、シュー、シューいう音と唾とをはきだしながら、運転をつづけている。しかし障害物にみちた道路は小さな車のまえにいつまでもくりひろげられつづける。時どき、ベルトの回転速度が遅くなりかけると、少年は大急ぎでズボンのポケットから硬貨をさぐりだしては装置についた鉄の瞼みたいな穴におとしこむのだ。鳥は少年の斜め後ろに立ったまま、しばらく見物していた。そのうち鳥は耐えがたいほどの徒労の感覚が、かれの足もとにしのびよるのを感じた。鳥は灼けた鉄板の上を渡っているような歩き方でそそくさと急ぎ、裏の出口に向った。そしてかれはじつに異様な一対の装置にでくわした。

右側の装置にはアメリカ人向きの香港土産めいた金銀あやにしきの竜の刺繡をしたジャンパーを揃って着ている若者たちが群がって、得体のしれない大きな衝撃音をたてていた。鳥は、いまのところ誰にもかえりみられていない、左側の装置に近づいて行った。それはヨーロッパ中世の拷問具、鉄の処女の二十世紀タイプだ。赤と黒のメカニックな縞にぬりわけられた鋼鉄製、等身大の美しい娘が裸の胸を両腕でしっかりとかかえている。その両腕をひき剝がして、隠された鉄の乳房をかいま見るために力をふりしぼるわけだが、それを試みるプレイヤーの握力と牽引力とは、鉄の娘の両眼の計算器に数字であらわれるシステムになっている。娘の頭の上には、握力と牽引力の年齢別平均値も表示されている。

鳥は、鉄の娘の唇のあいだの穴に硬貨を一枚入れた。それから鳥は娘の両腕をその乳房からひき剝がしにかかった。鉄の腕は頑強に抵抗する、鳥はなおも力をこめる。鳥の顔はしだいに鋼鉄の娘にひきよせられる。娘の顔にはあきらかな苦悶の表情をしのばせる彩色がほどこされているので、鳥は、娘を凌辱しているような気持だ。かれは体じゅうの筋肉が痛みはじめるまで力をこめた。不意に娘の胸のなかで歯車の回転する、ブン、ブンいう音がひびいて、娘の眼に薄い血の色の文字盤があらわれた。鳥はたちまち体じゅうのありとある筋肉を弛緩させ、荒い息を吐いて、そこに自分の獲得した数字と、表の平均値とを対照した。どのような単位によるかは明らかでないが、鳥の得た数値は握力70、牽引力75だ。そして表の二十七歳の部分は、握力110、牽引力110。鳥は信じがたい思いで、表を見わたし、やがて自分の数値が、四十歳の平均値であるのを確かめた。四十歳！　鳥は胃に悪いショックをうけておくびをひとつもらした。四十歳の人間の握力および牽引力しかもたない二十七歳四箇月の男、鳥。これはいったい、どうしたことだろう。しかも肩や脇腹の筋肉はチク、チク痛みはじめている。それは厭な筋肉痛にかわって居すわりそうな気配だ。鳥は名誉回復を試みるべく、右の装置に近づいて行った。自分でも思いがけなく、かれはこの体力検査ゲームに真剣になっているのだった。

　鳥がわりこんでゆくと、竜の刺繡のジャンパーを着こんだ若者たちは、自分たちの領域を犯された獣らのように敏感に、いっせいにおのおのの動きをとめ、挑戦的な眼で鳥を包んだ。鳥はたじろぎながら、それでも一応さりげなく、若者たちの輪の中央の装置を眺めた。それは西部劇映画の絞首台を思わせる構造だった。ただ、不運な罪人がぶらさがるべき位置に、スラヴの騎士の兜のごときものが吊され、兜から、黒いバック・スキンのサンドバッグがのぞいている。兜の中央に巨人のひとつ眼のようにひらいた穴に硬貨をいれると、サンドバッグをひきずりおろすことができ、同時に支柱にとりつけられた計器の針がゼロの位置にセットされる。計器の中央にはロボット鼠の漫画が描かれていて、ロボット鼠は黄色の口をひらき叫びたてている、《さあ！　あなたのパンチ力を計りましょう！》

鳥(バード)がいつまでも装置を眺めているだけなので、ジャンパーの若者たちのひとりが、なかば照れくさがり、なかば自信にあふれて、デモンストレートするように装置の前に進みでて兜の穴に硬貨を入れ、サンドバッグをひきずりおろした。それから若者は一歩さがると、踊るように全身で跳びはねて、サンドバッグを一撃した。衝撃音、そしてサンドバッグを吊した鎖が兜の内側をこするガシャ、ガシャいう音。計器文字盤の限界をこえた針はむなしく震えつづけている。ジャンパーの若者たちがいっせいにどっと笑った。パンチ力が計器の容量を越えたので、装置が麻痺し、もとの状態に戻らないのだ。得意満面の若者がこんどは唐手のかまえでサンドバッグを軽く蹴った。そこでやっと計器の針が150を指してとまり、サンドバッグは、疲れたヤドカリさながら兜のなかにのろのろとひっこんでいった。若者たちは再び大笑いしていた。

わけのわからない情熱が鳥(バード)をとらえた。かれはアフリカの地図に皺がよらないように注意して上着を脱ぐとビンゴ・ゲームの台に載せた。そして鳥(バード)は、妻の病院に電話をかけるためにふんだんに準備している硬貨を一個兜に入れた。竜の刺繍のジャンパーのハイ・ティーンたちが、かれの一挙一動を見まもっていた。鳥(バード)はサンドバッグをひきずりおろし、一歩退き、身がまえた。鳥(バード)は、地方都市の高等学校で退学処分になり、大学入試資格の検定試験の準備をしていた時分、おなじ地方都市の不良グループと、毎週のように殴りあったものだ。かれは恐れられていたし、つねに年少の崇拝者たちにかこまれていた。鳥は自分のパンチ力に信頼をおいていた。あの若者のように不恰好にジャンプしてではなく、正統的な姿勢でかれはヒットするだろう。鳥は軽やかに一歩、踏みだし、そして右ストレートでサンドバッグを一撃した。かれのパンチは、計器の最高限2500を突破して、計器を半身不随にしただろうか？　とんでもない、300だ。鳥は、サンドバッグを撃った拳を胸のまえにひいて前屈みになったまま、一瞬、茫然として、計器盤を見つめていた。それから、顔じゅうに熱い血がのぼってきた。かれの背後で、竜の刺繍のジャンパーの若者たちはじっと静まりこんでいた。しかし、かれらが、計器と鳥とに注意を集中しているのは確実だ、かれらは、かくも貧弱な数値のパンチ力の持主の出現に意表をつかれたのだろう。

　鳥は、若者たちの存在をすっかり無視しているようにふるまい、再びサンドバッグをしまいこんだ兜に歩みよると、もう一個硬貨を入れてサンドバッグをひきずりおろした。それから、こんどは正統的なかまえもなんのその、体じゅうの重みを拳にかけてサンドバッグを一撃した。鳥の右腕は、肱から手首まで、痺れあがった、そして計器は500を示したばかりだった。

　鳥はそそくさと屈みこむと上着をひろいあげ、ビンゴ・ゲームの台に向ったまま、それを着た。それから、かれは沈黙してこちらを見まもっているハイ・ティーンたちに向ってふりかえった。鳥は、理解と驚きをこめた微笑を若いチャンピオンにおくる、引退して久しい元チャンピオン、とでもいう風に老成したほほえみをうかべようとした。しかし、竜の刺繍のジャンパーの若者たちは、みな、硬ばってまったく無表情な顔で、かれを犬でも見るようにただじっと見まもっているだけなのだ。鳥は耳のうしろまですっかり真赭にしてうつむくと急ぎ足に店を出た。いかにもわざとらしい過度な活気にみちた高笑いが背後に湧いた。鳥は子供じみた恥辱感に眼もくらむ思いで、広場を大股に横ぎると、劇場の脇の暗い路地にぐんぐん入りこんで行った。かれは盛り場の雑踏のなかを他人どもにまじってただよう勇気をなくしていた。暗い路地には街娼たちが佇んでいたが、鳥の見幕に気おされて声もかけてよこさなかった。やがて鳥は、街娼たちさえもひそんでいない道筋に入りこみ、突然高い土手にさえぎられた。暗闇に草葉の匂いがたちこめているので、土手の斜面に夏草が生い茂っているのがわかった。土手の上は線路だ。鳥は、汽車がやってこようとしているかどうか、土手の両側を見わたしてみたが、どのような気配も発見することはできなかった。鳥は漆黒の空を見あげた。あおむいた鳥の頬が、不意の雨滴に濡れた。雨が降りはじめようとしているので草の匂いが濃くたかまっていたわけだ。鳥はうつむくと所在なげに、こそこそ放尿した。

そのうちに、鳥は背後から近づいてくる数人の乱れた足音を聞いたのだった。放尿を終ってふりかえったとき、すでにかれは、竜の刺繍のジャンパーの若者たちにすっかりとり囲まれていた。若者たちは劇場のあたりからのわずかな光を背にしてまっ黒に翳り、かれらがどのような表情をしているのかをうかがうことはできなかった。しかし鳥は、その瞬間、あの店の中でかれらが示した無表情のうちに、鳥にたいする徹底的に酷薄な拒否の印象がひそんでいたことを思いだした。かれらは、あまりにも非力な存在を眼にして、猛獣の本能をゆりおこされたのだ。弱い連中を見ると苛めないではいられない粗暴な子供の欲望に身震いしてかれらは、パンチ力500の哀れな羊を襲撃すべく追いかけてきたわけだ。鳥は恐怖を感じ、あわてふためいて逃げ道をさがした。明るい盛り場に向うには若者たちの囲みのもっとも稠密な正面を突っきらねばならないが、それは、いま確かめたばかりのかれの体力（四十歳の握力と牽引力！）ではむりだ、たちまち若者たちに押しかえされてしまうだろう。鳥の右方向は、板塀でさえぎられた短い袋小路だ。左方向は、線路の土手と工場敷地の高い金網の囲いのあいだの細く暗い道が、はるか向うで自動車の通る舗道につづいている。その約百米を若者たちにつかまえられないで駆けぬけることができれば希望はあるだろう。

鳥は決意した。やにわに体をひるがえして右の袋小路に駆けこむそぶりを示してから、一回転すると、かれは左に突進した。しかし、敵はこうした襲撃にかけてはプロだった、かつて二十歳の鳥が地方都市の夜の世界でそうだったように。戦略を見ぬいたかれらは鳥が右に体をむけたとき、すでに左へ移動してそこをかためていたのだ。一回転して体をたてなおし左に突進した瞬間、鳥は大仰にそりかえって全身にはずみをつけ、サンドバッグを殴りつけたとおなじやり方で攻撃してくる黒い若者に面とむかった。かれには、もう体をかわす余裕がなかった。鳥はかれの生涯の最悪のカウンター・パンチをしたたか受けてうしろ向きに土手の草の茂みに跳びこんだ。鳥は唸りながら血と唾とを吐いた。若者たちは、サンドバッグの計器を麻痺させたときとおなじく甲高い笑い声を発した。そして再びまったく沈黙したハイ・ティーンたちは、倒れている鳥を、まえよりもっと狭い半円型に囲んで見おろした。かれらは待機していた。

鳥は自分の体と土手の斜面のあいだで、アフリカの地図が皺だらけになっているにちがいないと考えた。そしていま自分の子供が生れつつある、という考えもまた、かつてない切実さで鳥の意識の最前線におどりでた。不意の怒りと荒あらしい絶望感が鳥をおそった。それまでかれは驚愕し、困惑したあげく、ひたすら逃げだす工夫をしていたのだ。しかしいま、鳥は逃げようとは思わなかった。もし、いま闘わなければ、おれのアフリカ旅行のチャンスは永遠にうしなわれるばかりか、おれの子供は最悪の生涯をすごすためにのみ生れてくることになるだろう。鳥は霊感のごときものにうたれてそのように信じた。雨滴がかれの裂けた唇にふりそそいだ。かれは頭をふり、呻き声をあげ、ゆっくり立ちあがった。ハイ・ティーンたちの半円型が余裕たっぷりに鳥を誘って後退した。それから、なかでも、もっとも屈強なやつが、自信にみちて一歩踏みだしてきた。鳥は両腕をだらりとたれ、顎をつきだし、夜店の殴られ人形みたいに呆然とした様子をよそおって立っていた。若者はゆっくり狙いをつけ、ベースボールの投手がモーションをおこすように片足を高くあげて上体をのけぞり、腕をいっぱいにうしろへひき、そして襲いかかってきた。鳥は頭をさげ腰をひくと、若者の腹に向って牛のように猛然ととびこんだ。若者は喚き声をあげてピュッと胃液を吐き、突然、沈黙してくずおれた。窒息したのだ。鳥は、素早く頭をあげて残りのハイ・ティーンたちとむかいあった。闘争の喜びが、かれに蘇っていた。それは何年ぶりのことだったろう。鳥もハイ・ティーンたちもじっと動かず、おたがいの、したたかな敵を見張りあった。時がたった。

それから不意に、若者のひとりが、仲間にこう呼びかけた、

「やめよう、やめよう！　こいつは、おれたちの相手じゃないよ、おじさまですよ！」

そのとたんにハイ・ティーンたちはいっせいに緊張をとき、まだ身がまえたままの鳥を無視すると気をうしなっている仲間をかかえおこして劇場の方向へひきあげて行った。鳥は雨に濡れてひとり残された。奇妙にくすぐったい滑稽感がこみあげてきて、しばらく鳥は声もたてないで笑っていた。かれの上着は血に汚れていたが、雨のなかを暫く歩けば、それは雨のしみとかわらなくなるだろう。鳥は、一種の予定調和を感じた。殴られた顎はもとより、眼のあたりも腕も、背も痛かったけれども、鳥は妻の陣痛がはじまって以来はじめて上機嫌だった。跛をひきながら、鳥は土手と工場敷地のあいだの細道を舗道に向って歩いた。やがて土手の上を大時代な蒸気機関車が、猛然と火の粉をまきちらして進んできた。鳥の頭の真上を通りすぎるとき、それは暗黒の空をかける巨大な黒犀だった。舗道に出てタクシーを待ちながら、鳥は折れた一本の歯を舌と歯茎の間からさぐりだして吐き棄てた。

2

鳥は、泥と鼻血と胃液とに汚れている西アフリカ地図を画鋲でとめた壁の下で、脅かされたワラジムシのように体をまるめて眠っていた。そこは鳥夫婦の寝室だ。かれが眠っているベッドと空虚な妻のベッドのあいだに、巨大な虫籠みたいな赤んぼうのための白いベッドが、まだビニール覆いをかけられたままで置かれている。鳥は、夜明けの寒さに不満げに唸りながら辛い夢を見た。

鳥は、ニジェールの東、チャド湖西岸の高原に立っている。かれはそこでいったいなにを待機していたというのだろう。鳥は、たちまち大きいファコヘールに見つけられてしまう。兇暴な獣は砂を蹴って突進してくる。それは決して悪くない。鳥は冒険や死の危険や新しい種族との出会いをつうじて現在の安穏で慢性的に欲求不満な日常生活の彼方にあるものを、かいま見るためにアフリカへ出発したのだから。しかし鳥はファコヘールと闘うべきいかなる武器も持っていないのだ。おれは準備もせず、訓練もうけないまま、アフリカへ到着してしまった、と恐慌にかられて鳥は考える。そのあいだも猛獣は迫ってくる。鳥は地方都市の不良少年だった時分、ズボンの折りかえし裏に跳びだしナイフを錘りのようにぬいつけておいたことを思いだす。しかし、かれはもうずいぶん昔あのズボンを脱ぎ棄ててしまった。滑稽な話だが、かれはファコヘールのことを日本語でなんといったかをさえ思いだすことができない。ファコヘール、鳥を置きざりにしてすでに安全地帯に逃げのびた連中が、危ない、逃げろ、ファコヘールだ！　と叫びつづけているのが聴こえる。すでに怒れるファコヘールは浅い灌木群のむこう十米に迫った。鳥は逃げおおせることができないだろう。その時になって、かれは北の方向に水色の斜線でかこまれた場所があるのを見出す。その斜線はおそらく鋼鉄の針金にちがいない。あの奥へ駈けこめば助かるだろう、かれを置きざりにした人びとはそこから叫んでいるのである。鳥は駈けはじめる。しかし、すでにあまりにも遅い。ファコヘールはかれのすぐ背後に迫っている。おれは準備もせず、訓練もうけず、アフリカへ到着してしまったのだ。ファコヘールの攻撃をまぬがれることなどできはしない、そう考えてすっかり絶望しながらも、鳥は恐怖心に追いたてられて逃げてゆく。水色の斜線の奥から、数しれない《安全な人びと》の眼が、逃げてくる鳥を眺めている。ファコヘールの凶まがしい歯が鳥の踝を鋭く確実にとらえる……

電話のベルが鳴りつづけていた。鳥は眼ざめた。夜明けだ、昨夜の雨はなお降りつづいている。鳥はベッドをぬけだすと冷えびえと湿っている床をはだしで踏んで電話機のところまでウサギのように跳んで行った。鳥が受話器をとると、男の声が挨拶もせずにかれの名を確かめ、こういった、

「すぐ病院にきてください。赤ちゃんに異常がありますから、御相談します」

突然に鳥は孤立無援だった。かれは夢の残り糟を嘗めにニジェールの高原へ後戻りしたいと感じた、たとえその夢が恐怖の棘のびっしり植わった悪しきウニのような夢にしても。それから鳥は退行現象におちいろうとする自分自身に抵抗すると、鉄の心をもった他人がしゃべっているようにも客観的な声で、

「母親は無事でしょうか？」といった、かれはそのような声がそのような台詞をいう光景に千回も立ちあったことがあるような気がした。

「無事です。至急、きてください」

鳥は巣の穴にかくれる蟹みたいに大慌てで寝室に戻った。そして、そのようにして拒否すれば、すべての現実が、夢のなかのニジェールの高原さながらたちまち消滅するとでもいうように、かたく眼をつむってベッドのぬくもりのなかへもぐりこもうとした。それから鳥は頭をふってあ

きらめをつけ、ベッドの脇に脱ぎすてられたままのシャツとズボンをひろいあげた。腰を屈めた際の体じゅうの痛みが鳥に昨夜の闘いを思いださせた。かれは乱闘に耐えた自分の体力を誇らしく思う気分をとり戻そうとしたが、それはもとより無理な話だった。鳥はシャツのボタンをはめながら西アフリカの地図を見あげた。夢のなかでかれが立っていた高原は地図でみるとディファだ。そこには疾走するイボ猪の図がある。ファコヘール、それはイボ猪だ。そしてそのすぐ上の水色の斜線の部分は禁猟区を意味している。たとえ夢のなかで鳥がそこへ逃げこめたのだったとしても、鳥は助からなかったわけだ。鳥はもういちど頭をふり、上着を着こみながら寝室を出て足音をしのばせ階段を降りた。もし一階に住む家主の老婦人が眼をさまして起きてきたとしたら、その善意と好奇心の砥石で鋭くとぎすまされた質問にどう答えればいいだろう。鳥はまだ、なにも知らない。ただ赤ちゃんに異常がありますから！　と宣告されただけだ。しかし事態はおそらく最悪だろう、と鳥は考えた。鳥は手さぐりで土間の靴をさがし、可能なかぎり静かにドアの鍵をあけて夜明けの光のなかへ出た。

　鳥の自転車は生垣の蔭で砂利の上に倒れ、こまかな雨に濡れていた。かれは自転車を起こすと、サドルの朽ちた皮にくいついた執拗な水滴を上着の袖でぬぐった。しかし、充分ぬぐいきれないうちに鳥はせかせかとサドルに尻をおちつけ、怒った馬のように激しく砂利を蹴って生垣のあいだから舗道へと出て行った。たちまち尻の皮膚が冷たく気味わるく濡れてくる。そして雨だ、風が進行方向から吹いてくるので、かれの顔じゅうが否応なしに水滴だらけになる。鳥は自転車のタイヤを舗道の穴ぼこへおとしこまないように、大きく眼をあけて見張りながら走った。

雨粒がじかに眼球をうつ。やがて鳥はもっと広くもっと明るい舗道に出て、左へ曲る。そこで風はかれの右前方から雨滴を吹きつけることになり、それはいくらかしのぎやすい。鳥は風圧にさからって上体を右にかたむけ、自転車のバランスをとりながら走る。舗道のアスファルトを水の薄い膜がおおっているのを疾走する自転車のタイヤがこまかく波だたせ小さな霧のように飛びちらせる。それを見おろしながら体をななめにかしがせて自転車を走らせているうちに、鳥は眼まいを感じる。かれは顔をあげた。見わたすかぎり夜明けの舗道にはいかなる人影もない。舗道をかこむ並木の銀杏は濃く厚く葉を茂らせ、それら数しれない葉のそれぞれが豊かに水滴を吸いこんで重おもしくふくらんでいる。黒い樹幹が、深い緑の海のかたまりを支えているのだ。もしそれらの海がいっせいに崩壊したなら、鳥は自転車もろとも、青くさく匂いたてる洪水に溺れるだろう。鳥は樹木群がかれを脅かすのを感じる。はるか高み、梢のあたりの秀でた葉むらは、風にざわざわ鳴っている。鳥は茂った木立に狭められた東の空を見あげた。いちめんにそこは灰黒色だが、その奥底にわずかながら薄桃色に滲んでいる陽の気配がある。卑しげに羞じているような空と、駈ける老犬のように荒あらしくそこを乱している雲。数羽のオナガが、鳥のすぐまえを野良猫さながらふてぶてしく横切ってかれをよろめかせた。鳥はオナガの群の淡青色の尾に銀色の水滴が虱のようにたかっているのを見た。鳥は自分が怯えやすくなっていること、自分の眼、自分の耳、自分の鼻の感覚が、過度に鋭くなっていることに気づく。かれは漠然とそれを不吉な兆候だと思う。かれが永いあいだ泥酔しつづけた期間にもまたそういう風だったのだ。

　鳥は上体をのりだし腰をあげ頭をふせてペダルに体重のすべてをかけ速力をあげた。夢のなかでの虚しかった逃走の感情がよみがえる。しかし鳥は、疾走する。かれの肩が、銀杏の細い下枝を折り、バネのように弾いた折れ口がかれの耳を傷つけた。それでも鳥はスピードをゆるめない。雨滴がひゅう、ひゅう鳴って、痛む耳をかすめて過ぎる。鳥はかれ自身の叫喚のようにブレーキをたかならせて、病院の車寄せに乗りいれた。かれは泳いだばかりの犬のように濡れていた。かれは身震いして水滴をはじきとばしながらじつに遠い道のりを疾走してきたような錯覚にとらえられた。

鳥は、診療室の前で息をととのえ薄暗い内部をのぞきこむと、そこでかれを待ちうけている眼鼻だちの判然としない幾つかの顔にむかって、

「ぼくが父親です」と嗄れ声でいった、なぜ、燈もつけず坐りこんでいるのだろう？　と疑いながら。

そして鳥は義母が嘔気をこらえてでもいるように袂で顔の下半分を覆って坐っているのを見出してその脇に近づいた。そして義母の隣りの椅子に腰をおろし、濡れそぼった布が背と尻の皮膚にべっとり貼りつくのを感じた。今度は車寄せでのように荒あらしいそれではなく、衰弱した雛鶏ほどにもたよりない身震いが鳥をみまった。

室内の暗がりに急速になれてゆく鳥の眼は、かれが椅子におちつくのを見張って注意深く沈黙している、審問官のような三人の医者たちを見出した。法廷の審問官の頭上に、法の権威を象徴すべき国旗がかざられてあるとしたら、いま診療室にいる審問官たちにとっては、背後の彩色した人体解剖図がかれら独自の法の権威の旗だ。

「ぼくが父親です」と鳥は脅かされている気分があきらかにあらわれてしまう声で苛いらとくりかえした。

「ええ、ええ」と三人の医者の中央の男（かれは院長だ、鳥はかれが横たわって呻いている妻の脇で手を洗っているのを見たのだった）が鳥の声に攻撃的な響きをかぎつけたとでもいうように幾分、防禦的にこたえた。

鳥は院長を見つめてかれの言葉を待った。しかし、かれはすぐに事情を説明しはじめるかわりに汚れた皺だらけの診療衣のポケットからパイプをとりだし煙草をつめているのだった。かれはずんぐりして樽に似ている小男で、過度の肥満のために憂わしげで重おもしい、もったいぶった様子をしている。はだけた診療衣から覗く胸はラクダの背のように毛だらけで、上唇や耳の下はもとより、喉にたれさがっている脂肪の袋にもいちめんに髭が生えている。今朝、かれは髭を剃る暇を見出せなかったのだ、すなわちかれは、昨日の午後からずっと、鳥の子供のために奮闘してくれたのだ。鳥は感謝の念とともにそう考えたが、それでいて鳥はその多毛質の中年男に、理解しがたい、うさんくさいものを見出して自分の心を単純に解放できない。パイプ煙草を一服やっている院長の体じゅうの髭だらけの皮膚の底にむくむく動きだそうとしては無理やり抑制されている油断のできないものがひそんでいるように感じられるのだった。

やっとのことで院長は濡れた太い唇からボールのような掌にパイプを戻すと、やにわにまっすぐ鳥の眼を見かえして、

「まず、現物を見ますか？」とその場に不釣合に大きい声でいった。

「死んだのでしょうか？」と鳥はせきこんでたずねた。

院長は鳥がなぜそのように受けとったのかをいぶかしがっている様子を示してから、あいまいな微笑でそれをかき消すと、

「いや、いや。いまのところは泣き声もしっかりしているし、体の動きも強いですねえ」といった。

鳥はかれの脇の義母が深刻すぎて思わせぶりじみた溜息をつくのを聞いた。もし義母が袂で口を覆っていなかったとしたら、それは飲みすぎた大男がもらすオクビほどにも、猛だけしくひびきわたって鳥はもとより医者たちまでたじろがせたことだろう。義母はすっかりまいっているのか、あるいは、鳥にかれら夫婦のおちいった困難の泥沼の深さについて予測させるべく、通信をおくっているのか、どちらかだ。

「それで、現物を見ますか？」

院長がそうくりかえすと、かれの右脇の若い医者が立ちあがった。痩せた長身の男で、顴骨の張った顔に、なんとなく左右不均衡な眼をしている。苛いらしている小心そうな片眼とおだやかに静まった片眼、鳥はかれにつられて腰をうかし、ぎくりとして再び坐りなおしてからその医者の美しい方の眼がガラス玉でできていることに気づいた。

「いいえ。見るまえに、説明してください」と鳥は《現物》という医者の言葉にたいする反撥を心の網目にひっかからせたまま、ますます深く脅かされてくる声でいった。

「そうだな、突然見ると、驚きますよ、出てきたときにはわたしも驚いたから！」

院長はそういうと思いがけないことに、ぶあつい瞼をさっと赧らめて子供じみたクスクス笑いをもらした。そのクスクス笑いこそが、さきほどから医者の髭だらけの皮膚のしたにかくれて、うさんくさい印象を喚起していたものなのだし、あいまいな微笑に形をかえて滲みでていたものだったわけだ。鳥は、クスクス笑いをつづける毛むくじゃらの院長を一瞬憤然として睨みつけ、そして院長が羞かしがって笑っているのだということに気づいた。かれは他人の妻の足のあいだから、なにやらえたいのしれない怪物をひきだしてしまった。猫みたいな頭をして風船ほどにもふくらんだ胴体をもつ怪物？　そんなものを産みださせてしまった自分自身を羞かしがってクスクス笑いしているのだ。経験ある産科の病院長が職業の威厳とともにおこなうにふさわしいというよりスラップ・スティク喜劇のヤブ医者の演技に適当なようなことを、かれはやってしまったのだ。かれは驚き、困惑し、そしていまは羞恥心にさいなまれているわけだ。鳥は、院長がクスクス笑いの発作から回復するのを身じろぎもしないで待った。怪物、いったいどのような怪物を？　院長の現物という言葉が鳥に怪物という言葉をよびおこしていた。そして、その怪物という言葉にまつわる茨が鳥の胸腔じゅうにひっかき傷をつけた。鳥が自己紹介して、ぼくが父親です、といった時、医者たちが動揺したのは、かれらの耳に、それがこんな風にひびいたからではないか？《ぼくが怪物の父親です》

すぐに院長はクスクス笑いを克服して憂わしげな威厳をとり戻した。ただ、かれの瞼と頰の薔薇色の艶は消えなかった。鳥はそこから眼をそらし、自分自身の内部の怒りと恐怖心との性急なうずまきを抑制しながら、問いかけた。

「驚くといって、どういう具合なんでしょう？」

「外観、見たところ？　頭がふたつあるように見えますよ、ワグナーに《双頭の鷲の旗のもとに》というのがありますがね、それは驚きますよ！」と院長はいって再びクスクス笑いをはじめようとしたが、今度はやっとのことで自分をとり戻した。

「シャム双生児のようなもので？」と鳥（バード）は気おくれした声で訊ねた。

「いや、単に頭がふたつあるように見えるだけですよ。現物、見ますか？」

「医学的には……」と鳥（バード）は、なおためらっていった。

「脳ヘルニアです、頭蓋骨の欠損（ディフェクト）から、脳の内容がはみだしてしまったんですな。わたしが結婚してこの病院を建てて初めてのケースです。非常に珍しいケースで、じつに驚きましたよ！」

脳ヘルニア、と鳥（バード）は考えてみようとしたがなにひとつ具体的なイメージを思いえがくことはできない。

「そういう、脳ヘルニアの赤んぼうが正常に育つ希望はあるんでしょうか？」と鳥（バード）は茫然としてまとまりのない気分のまま訊ねていた。

「正常に育つ希望！」と院長は不意に声を荒あらしく高めて憤激したようにいった。「脳ヘルニアですよ。頭蓋骨を切りとって、はみでている脳を押しこんだとしても、植物級の人間になれたら最も好運なくらいのものです。正常に育つとはいったいどういう意味でいってるの？」

院長は非常識な鳥（バード）に呆れかえったという具合に両脇の若い医者たちに頭をふってみせた。義眼の医者も、もうひとりの、高い額から喉もとまでおなじ無表情な褐色の皮膚で覆われている寡黙そうな医者も、いそいでうなずきかえし、まちがった解答をした生徒を咎める口答試問官のように険しい眼で鳥(バード)を見つめた。

「それでは、すぐに死んでしまうのでしょうか？」と鳥(バード)はいった。

「いますぐに死ぬということはないでしょう。明日まで、またはもっともつかもしれない。生命力の強い赤ちゃんだから」と院長はきわめて客観的にいった。「それで、どうします？」

鳥(バード)はうちのめされたチビさながらみっともなくうろたえて黙っていた。いったい、どうすることができるというのだろう、院長は意地悪なチェス・プレイヤーさながら鳥(バード)を袋小路に追いこんだあげく、それで、どうします？　というのだ。どうしよう？　膝をついて泣き喚く？

「お望みなら、N大学医学部付属病院に紹介します。もし、お望みなら！」と院長はおとし穴をかくしたパズルの問題を提出するような調子でいった。

「ほかに方法がないのでしたら……」と鳥(バード)はうさんくさい霧の向うを見すかそうとしながら、なにひとつ手がかりをつかめないで、ただむなしく警戒していった。

「ほかに方法はありません」ときっぱり院長はいった、それから「ともかく、やるだけのことはやったという満足感が得られますよ」

「このまま、ここへ置いておくわけには、まいりませんか？」と義母がいった。

鳥(バード)のみならず、三人の医者たちもみなぎくっとして、唐突な質問者を眺めた。義母はそのまま身動きもせず、この地球の上でもっとも陰気な腹話術師といった風だ。院長は鳥(バード)の義母を値踏みするように真剣にみつめていた。それから、醜いほどあからさまに自己防禦的に、

「それは不可能です、脳ヘルニアですからね、それは不可能ですよ！」といった。

それを聴いても義母はやはり袂で口を覆ったまま身じろぎひとつしなかった。

「大学病院に運びましょう」と鳥は決心していった。

毛むくじゃらの院長は、鳥の返事に跳びつくと、ただちに活動的な精彩を発揮しはじめた。かれは両脇の医者に、大学病院への連絡と救急車の手配を有能な実務家らしいやり方で指示した。

「救急車にはうちからも医者をひとりつけますからね、そのあいだは絶対に大丈夫ですよ」と院長はかれの指令をうけた二人の医者が出て行ったあと、なにか疑わしい重荷をおろして深く安堵しているという様子で再びパイプに煙草をつめながらいった。

「ありがとうございます」

「おかあさんは、新産婦につきそっていていただきましょう。あなたは、濡れた服を着更えてきたらどうです？　救急車の準備は二十分ほどかかりますよ」

「そうします」と鳥はいった。

その鳥へ体をすりよせるようにして院長は、猥雑なジョークでも話すみたいに過度に狎れなれしく、こうささやきかけた。

「もちろん、あなたは手術を拒否することができるんですよ！」

かわいそうな、惨めな赤んぼう、と鳥は考えた。おれの赤んぼうが、この現実世界ではじめて会った人間が、この肥りすぎで毛だらけの小男だったわけだ。しかし鳥は、なお茫然としていて憤りと悲しみの感情は結晶するやいなや、たちまち泡のように弾けた。

鳥と義母と院長とは、玄関の外来患者待合所まで、おたがいに顔をそむけあったまま沈黙して、ひとかたまりになって歩いた。そこで別れようとして鳥は義母をふりかえった。義母は姉妹みたいにかれの妻に似ている眼でかれを見かえし、なにかいおうとしているのだった。鳥は待ちうけた。しかし義母は無表情に萎縮してくる暗い眼で鳥をじっと見まもったまま黙っていた。鳥は、義母が公衆の眼のまえに裸で立ってでもいるというようにいかにも具体的に羞かしがっているのを感じた。眼はもとより顔じゅうの皮膚も無感覚に痺れてしまうまでに、彼女はいったいなにを羞かしがっているのだろう？　鳥は、義母が眼を伏せる前に自分から眼をそらして院長に、

「赤んぼうは男の子なんでしょうか、女の子なんでしょうか？」と尋ねた。

院長は不意をつかれて再びおかしなクスクス笑いをもらし、インターンみたいに学生口調で、

「どうだったかな、忘れちゃったなあ、見たような気がするけどなあ、その、ペニスを！」といった。

鳥はひとりで車寄せに出て行った。雨はあがり、風も衰えてきていた。空に乱れ動いている雲も明るく乾いている。すでに、夜明けの薄昏がりの繭から脱け出しきった、輝く朝だ。夏のはじめらしい大気のいい匂いがし体じゅうの筋肉も臓器もぐったりする。建物のなかの夜のなごりの優しさに甘やかされていた鳥の瞳孔に、濡れた舗道面や茂りにしげった街路樹から照りかえす朝の光が霜柱みたいに硬く白っぽくおそいかかる。その光にさからってペダルを踏みつけ走りだそうとして鳥は跳込台に立っているような気分におそわれた。確実な地面から切りはなされ孤立し

ている眼も昏む気分。かれはクモにつかまった弱い昆虫さながらじっと痺れていた。きみはこのまま自転車をかけってどこか見知らぬ土地にいたり、数百日のあいだアルコール飲料に漬っていることもできる、といういかがわしい天啓の声を鳥は聴いた。朝の光にさらされ、いかにも不安定にかしいだ自転車の上で鳥は揺れ、次の声を待っていた。しかしその声は二度とひびきはしない。鳥は、気をとりなおして、移動するナマケモノさながらのろのろと自転車をこぎはじめた。

……リヴィング・キッチンの中央に素裸で前屈みに立ち、テレビの上に置いた新しい下着をとりあげようと片腕をのばした時、鳥は自分の裸の腕を見てはじめて自分が丸裸だということを、意識にのぼせた。それからかれは逃げさる二十日鼠を眼で追うという風に、ちらりと自分の性器を眺め、羞恥心の火に灼かれた。鳥は鍋のなかで炒られる豆さながら、ピョン、ピョン跳びあがって下着をつけズボンをはき、上着をきこんだ。いま鳥は、院長と義母との羞恥心の鎖の輪につながっていた。危険にみちて壊れやすい人間の不完全な肉体、それはなんと羞かしいものだろう！ 鳥はフットボール場のロッカー・ルームにまぎれこんだ処女みたいにおののきながらうつむいてリヴィング・キッチンから逃れ、階段から逃れ、玄関から逃れ、自転車にまたがって、背後のすべてのものから逃れた。鳥はもしそれが可能なら自分自身の肉体からも逃れたいと希っていたのだった。歩くことにくらべれば自転車で走ることは、わずかながらも、より効果的にかれ自身の肉体から逃れた気分にしてくれる……

自転車をこぎながら鳥は、病院の玄関から乾草籠のようなものをかかえて小走りにあらわれた白衣の男が、人だかりをわけて救急車のひらかれている後尾に入りこんで行くのを見た。鳥の内部の逃れたがっている柔らかく弱い部分はその光景を一万米もむこうの、遙かな遠方のできごとのように感じようとした。鳥自身はそれと無関係な、早朝の散歩愛好者であるという風に。しかしかれは架空の土壁をほりすすむモグラモチさながら重く粘っこい抵抗感にさまたげられながらも、そこへ近づいて行くほかないのだった。

鳥は人だかりの背後を迂回して自転車をとめた。そして鳥が自転車をおりて屈みこみ、濡れた泥によごれているタイヤをチェーンでひと巻きし鍵をかけていると、

「そんな所へ自転車をとめては困るなあ」と背後からおどろおどろしい非難にみちた声が咬みついた。

鳥は驚いてふりかえり、かれを咎めている毛むくじゃらの院長の眼を見出した。そこで鳥は自転車を肩にかつぐと植込みのあいだへ匿しに行った。八ツ手の葉にたっぷりたまっていた雨滴がしたたかにほとばしって鳥の首筋から背へと流れこんだ。つねに苛いらして怒りっぽい不平家の鳥がいまは、その種のこまごました不運にいささかも反撥せず、当然のことのようにすべて受けいれてしまう。かれはすでに憤りの舌うちさえしなかった。

靴をよごした鳥が植込みからひきかえしてゆくと院長は鳥を高飛車に叱ったことをいくらか気に病んでいるようだった。かれは肥満して短い腕で鳥の背をかかえ、救急車にみちびきながら、素晴しい秘密でもうちあけるように、勢いこんで、

「男の子でしたよ、ペニスを見たと思った筈だ！」といった。

救急車には籠と酸素ボンベを両脇から囲んで義眼の医者と、浅黒い皮膚をした白衣の消防士が

乗りこんでいた。籠の中のものは消防士の背にさえぎられて見えない。ただ、水をたたえたフラスコのなかで酸素の気泡がたてている小さな破裂音だけがひそかな通信のように聞こえてきた。かれらの占拠しているベンチと向いあうもうひとつのベンチに鳥は腰をおろした。不安定な坐り心地。ベンチにのせてある帆布の担架に鳥は腰をおろした。かれはもぞもぞ尻を動かしながら窓ガラスごしに外を眺め、そのとたんに激しく身震いした。病院の二階の窓という窓、それにバルコンまでをいちめんにうずめて、起きだして顔を洗ったばかりなのだろう、白っぽい素肌を朝の光にさらした妊婦たちがこちらを見おろしている。彼女たちがそろって着こんでいる赤やブルーや水色の合成繊維のゆるやかな夜着。とくにバルコンに出ている妊婦たちは踝までとどく長い夜着を微風になぶらせて中空を舞う天使の群のようだ。鳥は彼女たちの表情に不安と期待と、それに欣びまで見出して眼をふせた。サイレンが唸りはじめ救急車が出発する、鳥は車の震動にはじかれてベンチからすべりおちそうになり渾身の力をこめて足をふんばって、このサイレン！　と考えた。それまでつねにサイレンは鳥にとっていつも遠方から近づき、かれの脇をすりぬけ、そして遠ざかってゆく運動体だった。しかし、いまサイレンはかれの内部の疾患のように、かれに固着している。それはいつまでも遠ざからない。

「まず、大丈夫です」と義眼の若い医者がふりかえっていった。

「ありがとうございます」

医者の態度のうちのごく微細ながらも、あきらかな権威の熱に鳥は飴のようにとろけようとしているのだった。負け犬のように極度に受身な鳥の反応が医者の眼からためらいと疑いの影を払拭した。医者は自分の権威をしっかり把握して、それを前におしだした。

「これはじつに珍しいケースで、ぼくもはじめて体験しました」と医者は力をこめていうと自分でうなずいてみせ、車の揺れの間隙をすばしこくぬって鳥（バード）の脇に移ってきた。かれは帆布の担架が置かれて坐り心地の悪いベンチのことなどものともしないのだった。

「あなたは脳の専門家ですか？」と鳥（バード）はたずねた。

「いや、いや、ぼくは産科の医師です」と義眼の医者は訂正したが、すでにその程度のくいちがいでかれの威厳が傷つけられることはなかった。「うちの病院に脳の専門家はいません。しかし、この症状はあまりにも明らかですから！　脳ヘルニアにきまっていますよ。脳からはみだした大きな瘤の部分に、針をさして脊髄液をとってみれば事態はもっと明瞭になりますがね、しかしまずくいって脳の実質をチクリとやってしまったら大変だからなあ。それでこのまま付属病院へ運んでいるんですよ。ぼくは産科の医師だけれども、脳ヘルニアの新生児に出会うことができたのは僥倖だし、解剖にも立ちあわせてもらうつもりです。もちろんあなたは解剖に賛成されるでしょう？　いまの段階でこんなことまで率直にいうと不愉快だと感じられるかもしれないけれども、ね？　そういう積みかさねが医学の進歩をたすけるわけでしょう？　あなたの赤ちゃんの解剖が、つぎの脳ヘルニアの赤ちゃんを救助する力になるかもしれないですよ！　それにもっと率直にいえば、この赤ちゃんのためにも、あなたたち御夫婦のためにも、この赤ちゃんは早く死ぬほうがいいだろうと思いますね。こういう赤ちゃんについて妙な楽観主義をもつ人もいるけど、ぼくはやはり、こんな場合は早く死ぬほど幸福だと思いますね。世代のせいかなあ。ぼくは一九三五年生れです。あなたは？」

「ぼくもそのあたりです」と、とっさに西暦に計算しなおすことができなくて鳥（バード）はいった。「それで、苦しいのでしょうか？」

「ぼくらの世代？」

「いいえ、赤んぼうのことです」

「問題は苦しいという言葉の意味ですね。この赤ちゃんは視力も聴覚も嗅覚も、なにひとつ持っていないでしょう、それに痛みを感じとる部分も欠落しているのじゃないかな。院長の言葉でいうと、ほら、植物的な存在なんだから！　あなたは、植物が苦しむという考え方ですか？」

鳥（バード）は黙って考えてみた、おれは植物が苦しむという考え方だったろうか？　山羊に齧られるキャベツは苦しんでいると考えたことがあったろうか？

「どうです？　植物的な赤んぼうが苦しむと思いますか？」と医者は余裕にみちて重おもしくくりかえし訊ねかけた。

鳥（バード）は素直に頭をふり、その質問が現在のかれの火照った頭の判断能力をこえていることを示した。かれははじめて会ったばかりの他人に抵抗を感じないで屈伏することのできる人間ではなかったのに。

「酸素吸入がうまくいっていないようですが」と消防士がふりかえって報告し、医者は早速ゴム管の具合を見に立って行った。

その瞬間、はじめて鳥（バード）はかれの息子を見た。それは皺と脂肪滓だらけの小っぽけな赤い顔をした醜い赤んぼうで、眼は貝殻のあわせめのようにかたくつむり鼻孔にはゴム管をさしこまれ、真珠光沢のある桃色の口腔をいっぱいにのぞかせて、声のない叫び声をあげている。鳥(バード)は思わず腰をうかせて伸びあがり赤んぼうの繃帯でまいた頭を見た。繃帯より後の部分は大量な血だらけの脱脂綿のなかにうずめられているが、そこに異様な大きいものが存在していることはあきらかだ。

鳥(バード)は顔をそむけて腰をおろし、窓ガラスに額をすりつけて、走りさる市街を眺めた。サイレンに脅かされた通行人たちは鳥(バード)が背後にしてきた妊婦の大群とおなじく好奇心とえたいのしれぬ期待をあらわにして救急車を見つめる。かれらにはフィルムの突然静止した画面のような、不自然な動作停止の印象がある。かれらはいま平坦な日常生活のごく微細なヒビワレをかいまみたところだ。かれらは無邪気な敬虔さをもまた示している。おれの息子は戦場で負傷したアポリネールのように頭に繃帯をまいていると鳥(バード)は考えた。おれの見知らぬ暗くて孤独な戦場でおれの息子は頭に負傷したのだ、そしてアポリネールのように繃帯をまいて声のない叫び声をあげている……

唐突に鳥(バード)は涙を流しはじめた。アポリネールのように頭に繃帯をまいて、というイメージが鳥(バード)の感情を一挙に単純化し方向づけていた。鳥(バード)はセンチメンタルでぐにゃぐにゃの自分が許容され正当化されるのを感じ、自分の涙に甘い味すら見出した。おれの息子はアポリネールのように頭に繃帯をまいてやってきた、おれの見知らぬ暗くて孤独な戦場で負傷して。おれは息子を戦死者のように埋葬してやらねばならない。鳥(バード)は涙を流しつづけた。

3

鳥が特児室まえの階段にじかに腰をおろし汚れた手で両膝をつかみ涙のあとにかれをつけねらいはじめた執拗な睡気と戦っていると義眼の医者が手もちぶさたな様子で特児室から出てきた。立ちあがった鳥に、医者は救急車の中とはうってかわった不安げな声で、こういった。

「この病院は官僚的で、看護婦さえもがこちらのいうことをなにひとつ聞かない。うちの院長と縁つづきの教授あての名刺をもらってきたのに、どの先生がその教授なのかもわからない！」

そこで鳥は医者が、なぜ急に憔悴したのかを理解した。ここではかれ自身まで赤んぼうのようにあつかわれてこの義眼の青年は自分の威厳をうたがいはじめたのだ。

「赤んぼうは？」と鳥は思わず医者を慰めるような声音になって訊ねた。

「赤んぼう？　ああ、脳外科の先生の回診があれば事情がすっかりわかります。そのときまで、赤ちゃんがもてば、の話ですが。もたなかったとしたら、解剖でもっと正確なことがわかるわけです。おそらく明日までもたないでしょう。明日の三時ころにでも、ここへ顔をだしてみたらどうですか？　しかしことわっておきますが、この病院は官僚的ですよ、看護婦までが！」

そして医者は鳥のそれ以上の質問をうけつけまいと決心したように、その健康な側の眼もまた義眼同様、無表情に宙にあそばせて歩きはじめたので、鳥は、いまは空になった赤んぼうの寝籠を洗濯女のように脇にかかえて後を追った。かれらが入院患者病棟を病院の本館につなぐ渡り廊下まで戻ってくると、そこで煙草をのみながら待っていた救急車の運転係と酸素吸入係の消防士二人がかれらに加わった。義眼の医師を先頭に、消防士たちと籠をかかえた鳥の一隊が渡り廊下を本館にむかった。

二人の消防士は、義眼の医師が救急車の中での上機嫌を見うしなっていることに、すぐさま気づいたようだった。もっともいまやかれら二人もまた、ものものしくサイレンを鳴らし善き市民たちの交通信号を無視し、大都会の中心を草原を疾走するジープさながらに救急車をかけっていたあいだ、そのストイックな制服を充実させていた威厳をうしなって精彩を欠いていた。鳥は背後から、二人の消防士の禿げあがって貧弱な後頭部を眺め、かれらが、一卵性双生児みたいに似かよっているのに気づいた。かれらはすでに若くなく、中肉中背でおなじように禿げている。

「その日の最初の仕事に、酸素ボンベがいると、その日は夜ふけまで、酸素ボンベがいるなあ!」と酸素吸入係の消防士が力をこめていっていた。

「ああ、おまえはいつも、そういってるなあ」と救急車の運転係の消防士もやはり力をこめて答えた。

義眼の医者はその小さな会話を無視したし鳥もまた、それに感銘をうけはしなかったが、ともかくこの二人の消防士が、いま、悄然とした気分をおたがいにもりたてあおうとしているのだということは理解した。そこで、鳥が、酸素吸入係の消防士にむかってうなずいてみせると、消防士は、鳥からなにごとかを問いかけられでもしたというように、真剣に緊張して、

「あ？」と鳥の次の言葉をうながした。

鳥は狼狽して、

「救急車ですが、ひきあげる時にもサイレンを鳴らして信号を無視できますか？」といった。

「救急車がひきあげる時？」とふたりの消防士はユニソンで歌う消防隊二人組とでもいった風に一緒に問いかえし、同時に黙りこみ、そしてさっと充血してくる酔っぱらったような顔をおたがいに見かわし、小鼻をふくらませてぷっとふきだした。

鳥は自分の質問の愚かしさ加減と消防士たちの反応にこもごも腹をたてた。その腹立ちは、かれの内部に抑圧されている暗く厖大な怒りのタンクに細いパイプでつながっていた。夜明け以来鳥の内部に、解放しようのない怒りが集積されつづけ圧力を増加させつづけているのだった。しかし消防士たちが不幸な若い父親のことを不謹慎にも笑ったのを悔んで憐れっぽいほど萎縮してしまったので、鳥の憤激のパイプの弁は閉じられた。むしろ鳥は消防士たちにたいして自分を咎める気分になった。最初にアンチ・クライマクスで滑稽な質問をしたのは自分ではないか。そしてそれはかれ自身の悲しみと睡眠不足の酢にやられた頭に、弛緩した鈍い隙間が生じているせいではないのか？　鳥は、脇にかかえた赤んぼうの寝籠の中を覗いた。それはいま、必要もなく掘られた空虚な穴ぼこのような印象だった。幾重にも折りたたまれた毛布と、脱脂綿にガーゼのひと束だけが、籠の底に残されている。脱脂綿とガーゼを汚している血は、まだ色褪せていないが、鳥はすでに、頭に繃帯をまき鼻孔にさしこまれたゴム管から小量ずつ酸素を吸いこんでいたかれの赤んぼうのイメージをそこに喚起することができない。赤んぼうの頭の形の異様さや赤い皮膚にこびりついていたピラピラした脂肪の膜のことさえも正確には思いだせない。赤んぼうはいまや鳥から全速力をあげて遠ざかりつつあるのだった。鳥は、うしろめたい安堵と底深い恐怖感とをこもごも感じた。おれはやがてあの赤んぼうのことを忘れるだろう、無限の暗闇からあらわれ十箇月の胚芽状態をすごし、そして数時間の耐えがたい不快感をあじわって、再び、決定的な無限の暗闇に下降してゆく存在。おれはそれについてすぐさま忘れてしまうことになるのかもしれない。そしておそらく、おれ自身の死の時にそれを思いだすのだろう。その時、おれの死の苦痛と恐怖が倍加するなら、おれはいささかながら父親の義務をはたすわけだ。

鳥たちは本館の正面玄関に出た。ふたりの消防士は駐車場へむかって駈けさった。かれらはつねに非常事態とかかわって生きている職業なので、息せききって駈けまわることこそ、もっとも日常的な生活態度なのだろう。消防士たちは、かれらの腕をふりまわしながら、鬼に尻を喰われかけているとでもいう具合に、光り輝く広大なコンクリートの広場を横切っていった。そのあいだに、義眼の医者が公衆電話で、かれの院長を呼びだした。医者は言葉少なく事情を説明していた。ほとんど報告すべき新事実はなかったのだ。それから、電話口に鳥の義母がでた。医者は、鳥をふりかえって、

「おかあさんです、赤ちゃんの現在の処置については話しました、替りますか?」といった。

いいえ! と鳥は拒みたいところだった。昨夜のたびたびの電話連絡いらい、電話のケーブルをつたわってくる義母の声の響きは鳥を落ちつかなくさせる強迫観念のひとつだった。かれの妻の声に似ているが、それよりももっとおさなく頼りなげな蚊のなくような声。鳥は、赤んぼうの

寝籠をコンクリート床に置いてから、憂い顔で受話器をうけとった。

「明日の午後、ここへ戻ってきます。脳外科の専門医の診断の結果を聴くことになっています」と鳥はいった。

「どういう目的で？　どういう目的があってでしょう？」

　と、義母の、鳥がもっとも避けたいとねがったタイプの声がかれを直接咎めだてるように問いただした。

「どういう目的でといっても、それはいまのところ赤んぼうが生きているからでしょう」と鳥はいった、そしてかれは義母の次の声を嫌悪の予感とともに待ったが、義母はじっと黙りこんでごくかすかな短い呼吸音を苦しげにひびかせているだけだ。そこで鳥は「これから、そちらへ戻ってお話します」といって電話を切ろうとした。

「あ、戻ってこないでください！」と義母はせきこんでいってよこした。「娘には、あなたが赤ちゃんにつきそって心臓の専門病院に入院したといってあります。あなたが、こちらへ戻ってきたら、娘はあやしむでしょう。何日かたって、娘がいくらか平静になってから、赤ちゃんが心臓の病気で亡くなったことにしてあなたがこちらに帰ってくれるのがいちばん自然です。あなたは電話で連絡するだけにしてください」

　鳥は諒解した。そして義母にむかって、これから義父に事情を説明しに行きます、といっているうちに、一方的に電話が切られてしまう硬い音を聞きとった。義母もまた、鳥の声を嫌悪感とともに忍耐していたわけだ。鳥は受話器をもとに戻し赤んぼうの寝籠をひろいあげた。すでに義眼の医者は駐車場から回されてきた救急車に乗りこんでいた。鳥はかれにつづいて乗りこむかわりに、赤んぼうの寝籠だけを帆布の担架の上に載せた。

「お世話さまでした、ぼくは自分で」と鳥は医者と二人の消防士に呼びかけた。

「自分で帰りますか？」と医者がいった。

「ええ」と鳥はいったが、じつは鳥は、ぼくは自分で出かけます、というつもりだったのだ。義父に出産の状況について報告しなければならないが、そのあと鳥にはまったく自由な時間が生じるわけだ。それに妻と義母のところへ戻って行くことにくらべて義父を訪ねることはむしろひとつの自己救済でさえあるように感じられる。

　義眼の医者が内側からドアを閉ざし、救急車は声をうしなって無力となったもと怪物といった風に沈黙し制限速度を守って出発した。鳥は運転席の消防士にむかって、医者と酸素吸入係の消防士がよろめきながら近づいてゆくのを、一時間前自分が涙を流しながら舗道の他人たちを眺めた窓ごしに見た。しかし、鳥はかれら三人がこれから鳥とその赤んぼうについてどのような噂話をするかを気にやまなかった。義母との電話によって不意におとずれた休暇、独りで自由なかれ自身のための時間、という考えが鳥の頭に新しく強い血を流しこんでいた。鳥は救急車につづいてサッカー競技場ほどにも広大な病院前広場を横切って行った。鳥は広場の中央で振りかえり、かれがいま自分の最初の息子、瀕死の赤んぼうを置きざりにしてきたばかりの建物を見あげた。それは城塞のように傲岸な存在感をもつ厖大な建築だった。夏のはじめの陽の光に輝き、その建物のどこかの片隅に真珠光沢のある赤い小さな口腔からかすかな叫び声をあげている赤んぼうのことなど一粒の砂ほどにも卑小な存在に感じさせる大建築。明日、ここを再び訪れても、おれはただこの近代的な城塞の迷路にひっかかって途方にくれるばかりで、すでに死んでいるか、あるいは瀕死のおれの赤んぼうにめぐりあうことはできないかもしれない、と鳥は考えた。その着想もまた鳥をかれのおちこんだ、不幸から一歩遠ざけた。鳥は大股に歩いて病院の外門をくぐりぬけ舗道に出た。

鳥は歩いて行った。初夏の昼まえのもっとも爽快な時間で、小学校の遠足の思い出の味のする微風が、鳥の眠りたりなくて火照っている頰や耳たぶにぴくぴく震える快感の虫を這いずりまわらせた。かれの皮膚感覚や神経細胞は意識の制御から遠ければ遠いほど確実に、この季節この時間の素晴しさと、いきいきした解放感をあじわっていた。それはやがて意識の表面へまでひろがってきた。

義父に会いに行くまえにまず髭を剃り、顔を洗おう！　と鳥は考えた。そして鳥は床屋の看板を見つけだすとまっすぐそこへ入って行った。初老の床屋が、ごく一般の顧客をむかえる態度で鳥を椅子にみちびいた。かれは鳥に不幸の兆候を識別していない。鳥はいま、床屋という他人の眼にうつったかれ自身になりおおせることで悲しみと不安から自分を解放することができる。鳥は眼をつむった。かれの頰と顎を熱くて重く消毒液の匂いのするタオルが蒸した。鳥は子供の時分、床屋を舞台にした落語を聞いた。床屋の小僧が凄じく熱いタオルを客の顔にのせる、それはあまりに熱くて、手にのせて冷やすことなどできないから、そのまま客の顔に移したのだ。それ以来鳥は、熱いタオルで顔をおおわれるたびに笑ってしまう。鳥は自分が微笑するのを感じた。

しかしそれは行きすぎだった。鳥は身震いして微笑を追いちらし、かれの赤んぼうの不幸について考えはじめた。鳥は微笑した自分に罪の証拠を見出したのだった。

植物のような赤んぼうの死、と鳥は、もっともかれを鋭く刺す角度から、赤んぼうの不幸を検討した。植物のような機能しかもたない赤んぼうの死に苦痛が伴わないにしても、いったい、その赤んぼうの死とはなんだろう？　あるいは、かれの生とはなんだろう？　幾億年にわたる無の曠野に、ひと粒の存在の芽があらわれ、十箇月のあいだ育ちつづける。もちろん胎児にはいかなる意識もないだろう、あたたかく、ぬるぬるし、やわらかく暗い世界いっぱいに、かれは体をかがめて存在している。それから危険とともに外部世界へ。そこは冷たく、硬く、かさかさ乾き、猛烈に明るい。その世界は、かれひとりがそこをすっかり埋めつくす広さではない。かれは厖大な数の他人どもと同居している。しかし、植物のような赤んぼうにとって、この外部世界滞在は、なにかわけのわからぬ隠微な苦痛の数時間にすぎないだろう。それから、息のつまる一瞬があり、そして再び、かれは幾億年にわたって無の曠野の微細な無の砂そのものだ。もし、最後の審判があるとしても、生れるやいなやたちまち死んでしまった植物のような機能の赤んぼうを、どのような死者として召喚し告発し判決をくだすことができるだろう？　真珠光沢のある赤い口腔を大きくあけ舌をひらひらさせて泣き声をあげていた数時間の地上滞在では、どのような審判者にとっても、証拠不充分ではあるまいか？　まったく証拠不充分だ、と鳥はしだいにつのってくる深甚な恐怖に息をつまらせて考えた。もしその場所に証人としておれがよびだされたとしても、おれは自分の息子の顔を確認することさえできないだろう、赤んぼうの頭の瘤を手がかりにするのでもなければ。鳥は上唇に鋭い痛みを感じた。

「身うごきしないでください、すこし切ってしまいましたよ」と床屋が鳥の鼻の上に剃刀を支えぐっとのぞきこんで威嚇するように厳しい声でささやいた。

鳥は指先を上唇にふれてから眼のまえにかざした。ひとつまみの血がかれの指を汚していた。鳥は指の血のシミを見つめていて胃の深みにかすかな嘔気を感じた。かれも、かれの妻も血液型はAだ。いま死につつある不運な赤んぼうの体を流れる一リットルほどの血液もまた、A型だろう。鳥は血に汚れた指を白布の下に戻し、胃をおさえて眼をつむった。床屋はかれの小さな傷のまわりの髭を渋滞しながら剃りあげ、それから、遅れた時間を挽回するつもりなのだろう、頰や顎は荒あらしいほどの素早さで剃りあげた。

「頭を洗いますね？」

「いや、結構です」

「髪のなかに土やゴミがはいりこんでいるよ」と不本意げに床屋はいった。

「昨夜転んだので」と鳥はいって、椅子から降りながら髭を剃りおわった自分の顔を真昼の海辺さながら光り輝いている鏡のなかに覗きこんだ。髪は確かに汚れ硬ばって枯草のようにパサパサしているが、鋭くとがった頰から顎にかけては紅鱒の腹のように清新なピンク色だ。このニカワ色の眼に強い光がうまれ、ひきつっている瞼がゆるやかにくつろぎ、薄い唇がひくひく痙攣することさえなくなれば、それは昨夜、書店の飾り窓のなかに見たかれ自身の肖像にくらべて格段に若わかしく、生きいきした鳥だ。鳥は義父に会いに行くまえに床屋に寄ってよかったと考え、深い満足をあじわった。とにかく鳥は、夜明け以来ずっと負の傾斜をとってきた心理的バランスに、プラスの要因をひとつ拾いだすことができたわけだった。鳥は鼻の右下に三角形のホクロのようにみえる血のかたまりをちょっと点検してから床屋を出た。義父の大学につくまでに、剃刀とタオルがつくりだしたあざやかな頬の色は褪せてしまうだろう。しかしそれまでには血のかたまりのホクロも爪でけずりおとしてしまえるだろうから、義父の眼に鳥が滑稽で惨めな負け犬として映ることはあるまい。鳥はそのあたりを大股に歩きまわってバスの停留所をさがしているうちに昨夜以来、自分のポケットにはいくらか余分の金が準備してあることを思いだして、おりからやってきたタクシーに手をあげた。

鳥は、大学の正門前の昼休みに出てくる学生たちの混雑のなかで、タクシーを降りた、十二時を五分すぎたところだった。鳥は大学の中庭に入りこんで行き、ひとりの大柄な学生を呼びとめて、英文科の研究室の位置をたずねた。ところがその学生が微笑を浮べると懐かしげに、

「ああ、先生、ごぶさたしています！」と歌うようにいったので鳥はあっけにとられた。「予備校でお世話になりました。官立はみなだめで、親父にここへ寄付金をつませて、裏口から入りました、先生！」

「ああ、きみはここの学生になっていたのか」と鳥はグリム兄弟の童話の挿絵のドイツ農民みたいに丸っこい眼と鼻をした、それでも決して醜くはないその学生のことを思いだして安堵しながらいった。「そういうことなら、予備校はむだにならなかったなあ」

「いいえ、先生、勉強にむだはありませんよ、なにひとつ覚えなくても、それは勉強なのだか

ら！」

鳥は嘲弄されたように感じて険しい眼で学生を見かえした。しかし学生はその大柄な全身でもって鳥に好意を示そうとしているのだった。鳥は、その男が、定員百人のクラスでもきわだって愚鈍な生徒だったことを、明瞭に思いだした。そのような生徒だからこそ、いま限りなく単純かつ陽気に二流の私立大学へ裏口入学したことを鳥に報告し、あわせてむなしかった予備校での授業に感謝しているのだ。他の九十九人の生徒たちなら、みな、予備校の教師、鳥を避けようとするだろう。

「そういってくれると気持が楽だ、予備校の授業料は高いから」と鳥はいった。

「いいえ、いいえ。それで先生は、こんどうちの大学につとめられるのですか？」

鳥は頭をふった。

「あ、そうですか」と学生は如才なく話題を展開させた。「ぼくが研究室まで御案内しましょう。どうぞ、こちらです。本当に予備校の勉強はむだじゃありませんでした。それは、頭のどこかに養分としてたまっていて、いつか役にたつんです。ぼくはそれを待っていればいいんですよ、勉強というのは、結局そういうことじゃありませんか？　先生！」

鳥は、啓蒙主義の匂いのする楽天家の旧生徒にみちびかれて、生い茂った樹木にふちどられた遊歩道を抜けてゆき、濃い赤オーカーの煉瓦で建てた建物の正面に出た。

「英文科の研究室はこの三階のいちばん奥です、先生。こんな大学でも入ったとなると嬉しくて、ぼくは大学中を探検してまわったんです。いま、ぼくはこの大学のあらゆる建物に精通していますよ」と誇らしげに学生はいった、それから一瞬かれは鳥に自分の眼を疑わせるほど老成した自嘲的な薄笑いをひらめかせて、「単純な話でしょう？」

「いや、いや、それほど単純じゃないと思うよ」と鳥はいった。

「そういっていただくと、嬉しいですよ、先生、それじゃ、ご機嫌よう。なんだか、顔色がよくないようですよ、先生！」

鳥は階段をのぼりながら、いま別れたばかりの旧生徒のことを考えた。あいつは、おれの千倍もたくみに現実生活をおくるだろう、すくなくとも赤んぼうを脳ヘルニアで死なせてしまったりはしないにちがいない。それにしてもおれは奇妙に独特なモラリストを教えていたものだ。

鳥は英文科の研究室のドアの隙間から覗きこんで義父を探した。義父は部屋の向うすみに張りだしたバルコン風な場所に、アメリカの大統領が坐るような樫の木のロッキング・チェアにかけて体を深く倒し、なかば開いた天窓を見上げていた。そこは、鳥が卒業した大学の研究室よりずっと広く明るく会議場みたいな感じのする部屋だった。ロッキング・チェアの設備もふくめて、鳥の義父が停年後この私立大学に移って、官立の時と比較を絶した好待遇をうけているという話(それは義父のいくぶん自虐的な得意の冗談のひとつだ)が単に冗談にとどまらない様子なのを鳥は見てとった。しかし、もう少し陽ざしが強くなれば、ロッキング・チェアの位置を後ろにひくかバルコン全体に日覆いをつけるかする必要があるだろう。部屋のこちら側の巨きいテーブルでは食後らしく血色のいい額にわずかに脂を光らせた三人の若い助教授たちがコオフィを飲んでいた。鳥はその三人みんなの顔を知っていた。かれらは鳥の大学の先輩の秀才たちだ。もし鳥が乱酔した数週間をすごして脱落するという事故をおこさず大学院に残っていたとしたら、かれもやがてはこの三人の先輩たちのキャリアを追いかける生活に入ったはずだった。

鳥は開いたドアをあらためてノックし研究室に入って三人の先輩たちに会釈した。それから鳥はロッキング・チェアの上で体のバランスをとったまま頭をのけぞらしてかれをふりかえった義父に向って近づいて行った。三人の先輩たちは、そろってとくに意味もなく微笑し鳥を見まもっていた。かれらにとって鳥は、いくらかもの珍しい異常な存在ではあるが、同時に、まじめに関心をもつにはあたらない局外者だ。数週間も理由なく飲みつづけてついに大学院を去った、あの、風変りな、おかしなやつというわけだった。

鳥が近づくと義父はロッキング・チェアのなかで体をおこし木の滑車が鳴りたてるキイ、キイという音とともに椅子ごとかれに向きなおった。鳥は教授の娘と結婚するまえの学生の時分からの習慣にしたがって、

「先生」と呼びかけた。

「赤んぼうは生れた？」と教授は鳥に長い肱掛けのついた回転椅子を指さしながらいった。

「ええ、生れました、生れたんですが」と鳥は自分の声が極度に臆して縮みあがるのを耳ざわりに感じながらそういったあと、くちごもった。それからすべてを一気にすませてしまうべく自分に強制して、「赤んぼうは、脳ヘルニアで、明日か、明後日のうちには死ぬだろうと医者がいっています、妻は無事です」

ロッキング・チェアの背が壁につかえて完全には回りきらないので教授は鳥に対していくらか

斜めにむかっている。その白髪にかざられたライオンみたいに巨きく立派な顔の飴色の皮膚が静かに着実にみるみる朱色に染っていった。袋のように皮膚の垂れた下瞼は血がにじみでたほどにもあざやかな朱色だった。鳥は自分の顔もまた紅潮してくるのを感じた。鳥は夜明けこのかた自分がじつに孤立無援だったことをあらためて理解した。

「脳ヘルニア。きみは赤んぼうを見ましたか？」と嗄れて細い声で教授はいった、その声の響きのなかにも鳥はかれの妻の声のかくれた兆候を見出したが、それはむしろ懐かしかった。

「見ました。赤んぼうは、ちょうどアポリネールみたいに頭に繃帯をまいていました」と鳥はいった。

「アポリネールみたいに、頭に繃帯をまいて」と教授はちょっとした冗談を聞いたとでもいうように反芻した、それから鳥にむかってというよりは、むしろ三人の助教授たちに対して「まあ、生れてこないより生れてくるほうがよかったかどうか、はっきりはわからない時代なんだから」

　鳥は三人の先輩たちがひかえめに、それでも声をたてて笑う声を聞き、ふりかえってかれらを眺めた。かれらもまた鳥を眺めていた。かれらの眼には鳥というもともと風変りな人間にそのような異常事がおこったことについて決して意外には感じていない一種のおちつきがあって、それが鳥に強い反撥心をひきおこした。鳥は自分の泥まみれの靴を見おろして、

「なにもかもが終りましたら、あらためてお電話します」といった。

　教授は黙りこみロッキング・チェアをわずかに揺さぶっていた。鳥は教授がロッキング・チェアへの日頃の満足をなにかつまらないものに感じはじめたのかもしれないと思った。鳥も所在な

げに黙りこんでいた。かれは義父に必要なすべてを話したという気がした。妻に事情をうちあける時にもまた、このように単純明快に完了することができるだろうか？　いや、そういうことはぜったいにありえない。涙、数百の質問、饒舌の無力感、痛む喉と火照る頭、それから神経症の鎖が鳥夫婦をがっちりと捕獲する。

「病院の手つづきなどもありますから、これで失礼します」とやがて鳥はいった。

「ご苦労でした」とロッキング・チェアから起きあがろうとはしないで教授はいった。鳥はひきとめられなかったことを僥倖に感じて立ちあがった。その鳥に、

「脇机にウイスキーが一瓶あるから、持っていらっしゃい」と教授がいった。

鳥は緊張し、三人の先輩たちの眼もまたやはり緊張して事の進展を注意深く追いはじめるのを感じた。教授はもとより、その三人の先輩たちも、鳥の泥酔した数週間のことを詳しく知っているはずなのだ。鳥は一瞬ためらったまま、予備校でかれが講読しているテキストの一節を思いだしていた、それは憤然とした若いアメリカ人の台詞だ、

Are you kidding me, kidding me?

キミハオレヲ嘲弄スルノカ？　オレニ喧嘩ヲ売ッテイルノカ？

しかし鳥は屈みこんで教授の脇机の蓋をひらき、一瓶のジョニイ・ウォーカーを見つけると、それを両手でとりあげた。鳥は眼球まで赤くなり、なんとなく歪んだ熱い喜びを感じた。これは踏み絵だ、しかしおれはしりごみしないぞ。

「ありがとうございます」と鳥はいった。

鳥を見まもっていた三人の助教授たちの緊張が弛緩した。教授はなお紅潮している重おもしい顔をまっすぐ支えたままロッキング・チェアの向きをゆっくりもとに戻そうとしていた。鳥はかれらを素早く一瞥して会釈すると部屋を出た。

鳥はジョニイ・ウォーカーを手榴弾でもあつかうように慎重に握りしめて、石を敷きつめた中庭に降りて行った。これから独りきりで自由にすることのできる時間というイメージが、一瓶のジョニイ・ウォーカーとむすびつき鳥の頭のなかに危険な陶酔の予感をもりあげていた。明日、あるいは明後日、もしかしたら一週間の猶予のあと、赤んぼうの悲惨と死について知らされた妻とおれは、苛酷なノイローゼの地下牢に閉じこめられてしまうのだ。したがって、今日の一瓶のウイスキーと自由に解放された時間とは、正当な権利においておれのものだ、と鳥は自分の内部のアブクのような危惧の声を説得した。アブクは他愛なく静まった。さあ、おれはジョニイ・ウォーカーを飲みはじめよう。しかし、まだ十二時半だった。鳥は、まず書斎にかえって、飲みはじめることを考えてみたが、それはあきらかに最低のプランだった。そこへ戻ってゆけば家主の老婦人や、友人たちが、あるいは直接に、あるいは電話で、出産の首尾を問いつめるべく襲いかかってくるだろうし、そして寝室を覗けば白い塗料をぬった赤んぼうのベッドが鱶のようにかれの神経に咬みつくことだろう。鳥は頭を激しく振って、その着想を追いはらった。見知らぬ他人どもしかいない安ホテルに閉じこもって飲むことにしようか？　しかし、鳥は、鍵をかけたホテルの個室で泥酔してゆく自分に恐怖を感じた。鳥は、ウイスキーのラベルに描かれた赤い上着を着て大股に歩く愉快そうな白人をうらやましげに眺めた。こいつは一体どこへ行く途中なんだろう？　そして不意に鳥は、ひとりの女友達のことを思いだした。彼女は夏も冬も昼のあいだはつねに、暗い寝室に寝そべってなにか極めて神秘的なことを考えている。部屋に人工の霧がたちこめてくるほどにも絶えまなくネイヴィ・カットの煙草をふかして。彼女が家を出てゆくのは、夕暮以後だ。

鳥は正門を出たところでタクシーを待った。通りの向う側の喫茶店の広いガラス窓の向うに、かれの旧生徒がその仲間たちと坐っていた。かれはすぐに鳥を認めて人懐っこい仔犬みたいに、心のこもった無恰好な合図をおくってよこした。かれの仲間たちも、鈍くあいまいな好奇心を示して鳥を眺めていた。あいつは連中におれのことをどのように説明するだろう？　酔っぱらった数週間をすごしたあげく大学院を止して予備校の教師となった、わけのわからない熱情、または恐怖心にとらえられたやつという風に？　ともかく、旧生徒は、かれがタクシーに乗りこむまで、執拗に微笑したままかれを見まもりつづけていた。車が走りだしてから、鳥は自分が慈善をうけたような気分におちいっているのに気づいた、ついに最後まで現在分詞と動名詞の区別もできないまま予備校を去っていった、猫ほどの頭脳しかもたぬ旧生徒の慈善。

鳥は、かれの女友達の住居周辺の地理を運転手に説明した。そこは巨大な陸橋を越えた向うの数しれない寺と墓地とに囲まれた高台の一郭だ。女友達は路地の奥の一軒のしもた屋に独りで暮していた。鳥は大学に入った年の五月、クラスの親睦会で彼女と知りあった。彼女は自己紹介の挨拶に、自分の火見子という名前の出典を当ててもらいたい、と出題した。鳥が、それは風土記逸文の肥後国から採った名前だ、と正解した。天皇、棹人に勅りたまいしく、行く前に火見ゆ、直に指して往け。それから鳥と九州出身の女子学生火見子は友達になったのだった。

鳥の大学の数少ない女子学生たち、それも地方出身の文学部のメンバーは、すくなくとも鳥の知っているかぎり、みんな卒業まぎわに得体のしれないおかしな怪物に変容をとげてしまった。彼女たちの細胞の幾パーセントかが徐々に発達しすぎて、歪み、そのあげく彼女たちの動作は緩慢になり表情は鈍く憂わしげになった。そして結局彼女たちは卒業後の日常生活について致命的に不適格になった。彼女たちは、結婚すれば離婚したし、就職すれば馘になったし、なにもしないでただ旅行をしていた者は滑稽かつ陰惨な衝突事故に出くわした。いったい、それはなぜだったろう？　ありふれた女子大学を卒業した連中はみないきいきと新生活の場に順応しそこでのリーダーとなってゆくのに鳥の大学の女子学生たちだけがそのようであるのは？　火見子は卒業まぎわに大学院の学生と結婚し、離婚はしなかったけれども、もっと悪いことに、結婚後一年で彼女の夫に自殺されてしまった。夫の父は、夫婦がそれまで住んでいた家を彼女に呉れたし月々の生活費も支給しつづけてくれている。そして彼女の再婚を希っているのだが、当の彼女は昼のあいだはずっと神秘的な瞑想にふけり夜となればスポーツ・カーで街を彷徨して日々をおくっている。鳥は火見子のことを常軌を逸脱した性的冒険家タイプだとする、おおっぴらな噂を聞いていた。それを彼女の夫の自殺とむすびつける噂さえも。鳥は一度だけ火見子と寝たことがあったが、その時は二人ともひどく酔っていて、性交が実際におこなわれたかどうかさえもが、不確かだったし、それ以後おなじことをくりかえすことはなかった。それは、まだ火見子が不幸な結婚をするよりもずっと以前のことでその時の火見子は鋭い欲望にかかりたてられ快楽を積極的に追求しようとしてはいるものの、単に無経験な女子学生にすぎなかった。

鳥は火見子の住居のある路地の入口でタクシーを降りた。かれは財布に残った金を素早く計算してみた。明日の講義のあと今月分の給料を前借りしておくのが無難だろう。鳥はジョニイ・ウォーカーの瓶を上着のポケットにねじこむと隠れきらない部分は掌でおさえて急ぎ足に路地へ入って行った。火見子の風変りな生活のことはその周辺で知りつくされていたから、火見子を訪ねる客はみな、そこここの窓の向うから見物されているのではないかと疑わないではいられないわけだ。

鳥は玄関の呼びリンを押した。反応はなかった。鳥は玄関の扉を二、三度揺さぶり、火見子さん、と小声で呼んでみた。それは儀礼的な手続きだ。それから鳥は家の背後にむかってまわりこみ、火見子の寝室の窓の下に薄汚れた中古品の箱型MGが駐められているのを見た。真紅のMGはがらんどうの座席をあらわにさらして、永らくそこに見棄てられているという印象だったが、それは火見子が在宅していることを示している。鳥は窪みだらけのバンパーにこれも泥だらけな自分の靴をのせ体重をかけてみた。MGはゆさゆさ揺れ、ボートのようだった。鳥は、カーテンをおろした寝室の窓をあおいでもういちど呼びかけた。カーテンのあわせめが内側からつまみあげられ、そこにできた狭い覗き穴の向うからひとつの眼が鳥を見おろした。鳥はMGを揺さぶるのをやめて微笑した。鳥はこの女友達の前でいつも自由かつ自然にふるまうことができるのだった。

「やあ、鳥……」その声はカーテンとガラス窓に遮られて弱よわしく愚かしい嘆息のように聞こえた。

鳥（バード）は自分が真昼から一瓶のジョニイ・ウォーカーを飲みはじめるために、最良の場所を見出したことを感じた。鳥（バード）は今日の一日の心理的貸借対照表にプラスの数字をもうひとつだけ書きこんだ気分で玄関へひきかえした。

4

「眠っていたのじゃない?」と鳥（バード）は、かれのためにドアを開いてくれた火見子に訊ねた。

「眠る、この時間に?」と女友達は、嘲弄するように軽くいった。

鳥（バード）の背後から真昼の光が、掌をかざしてそれをさえぎろうとする火見子の捩れた頸とスミレ色の厚手の木綿の部屋着からあらわになったいかにもその年齢にふさわしく逞しい肩に荒あらしくおそいかかった。火見子の祖父の九州の漁民はウラジオストックから誘拐するようにしてつれてきたロシア娘と結婚したのだった。そこで火見子の皮膚の白さは毛細血管がなまなましく浮きあがってみえてくるほどに過度だったし、彼女の動作には、いつまでもその土地になじめない異邦人のまごまごした感じがあった。火見子はおしよせる光に怯んで、すぐさま雛鶏みたいにきわめてあわただしく、半開きのドアのかげに後退した。いま火見子はすでに若い娘の無防禦な美しさをうしない、しかもまだ次の年齢の充実感を獲得するには到っていない、中途はんぱのもっとも貧しい状態にいた。火見子はその不安定な時期を特に永くすごさねばならぬタイプなのかもしれない。鳥はそのようなハンディを背おっている女友達を外光から保護するために、狭い靴ぬぎに入りこみ急いでドアを閉ざした。次の瞬間、鳥はなかば盲目になり靴ぬぎの、狭苦しい空間を動物運搬用の目張りをした檻のように感じた。鳥は靴をぬぐあいだも眼を昏がりに慣れさせようとしてしきりにまばたいた。そのようなかれを、女友達は暗がりの深みにひそんで黙って見まもっているのだった。

「ぼくは眠っている誰かをむりやり起こしたくないのでね」と鳥はいった。

「今日は気が弱いのね、鳥。だけど眠ってはいなかったわ、昼間、眠ると、夜にはもう絶対に眠れないから。わたしは多元的な宇宙ということについて考えていたのよ」

多元的な宇宙？　よし、それについて話しながらウイスキーを飲むことにしよう、と鳥は考えた。鳥の瞳孔の広がりはしだいに加速度的に調整できつつあった。鳥は猟犬がくんくん嗅ぎたてるように周囲を見まわしながら、女友達につづいて居間にあがりこんで行った。そこはいわば夕暮の薄暗がりで、病気の家畜の横たわる藁の寝床さながら、熱っぽく湿り、澱んだ匂いがした。鳥はここをたずねるたびに坐る、古いけれども堅牢な籐椅子の上を眼をこらして見おろし、雑誌類をとりのぞいて注意深く腰をおろした。火見子はシャワーを浴び服を着こみ、いくらかの化粧をするまで、カーテンを開くことはおろか室内燈をつけることもしないだろう。客は暗がりのなかで忍耐づよく待たねばならない。鳥は一年前ここを訪ねた時、暗い床に転っていたガラス器を踏みわって拇指のつけ根を切り裂いた。鳥はその痛みと狼狽とを思いだして体を縮めた。

火見子の居間には、床といわずテーブルといわず、窓にそった背の低い書棚といわず、再生装置やテレビの箱にさえも、本や雑誌、空箱、瓶、貝殻、ナイフ、ハサミ、昆虫の標本、冬の灌木林で採集してきた枯花、古い手紙、新しい手紙などなどがごったがえしに氾濫しているので、鳥(バード)はどこへウイスキーを置くべきかためらってしまう。それから、鳥(バード)は足をごそごそやって小さな隙間をつくり、自分の両踵のあいだにジョニイ・ウォーカーをもぐりこませた。

火見子は鳥(バード)の体の動きを見まもりながら、挨拶のように、

「あいかわらず整頓癖が身につかないのよ、鳥(バード)、あなたがこの前来たときもこうだった?」といった。

「そうだったとも。ぼくは足の指を切ったんだから」

「そういえば血だらけになったわね、そこらあたり一面」と火見子は懐かしんでいった。「久しぶりね、鳥(バード)、わたしは本当に、あいもかわらずよ。あなたは? 鳥(バード)」

「ぼくの方では、事故がおこったんだ」

「事故?」

鳥(バード)はこのようにすぐさまかれの不幸について話しはじめることになるとは思っていなかったのでためらった。それから可能なかぎり少ない言葉で説明できるように事情を単純化すると、

「赤んぼうが生れたんだけど、すぐ死んだのさ」といった。

「鳥(バード)のところでもそうなの? わたしの友達のところでもおなじなのよ、しかもひとりの友達じゃなく、ふたりまで。鳥(バード)をいれて三人だわ、核物質の灰で汚れた雨の影響じゃない?」

鳥は頭がふたつあるように見える自分の赤んぼうと、いつかみた放射能障害による異常児の症例の写真とを比較してみようとした。しかし鳥にとって赤んぼうの異常は、それをめぐって他人にしゃべることはおろか、自分であらためて考えてみようとするだけでも、きわめて個人的な熱い恥の感情が喉もとにこみあげてくる、鳥個有の不幸だった。それは地球上のすべての他人どもと共通な、人類すべてにかかわる問題ではありえないという気がする。

「ぼくの息子の場合は単なるアクシデントらしいよ」と鳥はいった。

「辛い経験をしたわね、鳥」と女友達はいうと瞼のなかがすっかり黒いものでうずめられているようにみえる表情のはっきりしない眼で、かれをおだやかに見つめた。

鳥はその眼の意味を穿鑿することはしないで、自分の足のあいだからジョニイ・ウォーカーをとりあげると、

「きみの所へくれば、昼のうちからでも、ウイスキーを飲ませてくれるだろうと思って来たんだ、どう？ これを一緒に飲もう」といった。

鳥は、女友達にたいして、自分が厚顔な若いツバメさながらものほしげに甘ったれているのを感じた。しかし、火見子の男友達はたいていみな彼女にたいして、そのようにふるまってしまうのだ。火見子と結婚していた男は、鳥をはじめとする他の男友達よりもっと直截に弟タイプの態度で夫婦生活を彼女に依存していたものだ、そしてある朝、突然に縊死してしまった。

「赤ちゃんの不幸、まだ遠いことじゃないのね、鳥。あなたはまだ回復していないようだわ。赤ちゃんのことは聞かないことにしよう」

「ああ、その方がありがたいね。それに、聞かれたとしても、ほとんど話すことはないんだ」

「ともかく飲みはじめる？」

「そうしよう」

「わたしは体を洗ってくるわ。そのあいだに、グラスとか水差しとかを運んできて、さきにはじめてよ、鳥」

鳥は火見子が浴室へ消えてから立ちあがった。居間から寝台車のコンパートメントほどにも狭く窮屈な寝室の隅をとおりぬけた突きあたりに、台所と浴室がならんでいる。この小さな家屋の尾の部分にあたる歪んだ空間を、浴室と台所とが分割しあっているのである。鳥は火見子が脱ぎすてたばかりの部屋着と下着類の、うずくまった猫のようなかたまりをひと跳びして台所へ行った。

そこから水差しに水をみたし、洗ったグラスとコップを二つずつポケットにいれてひきかえしてくる時、鳥は硝子戸の隙間から、さらに暗い浴室の奥でシャワーを浴びている女友達の背と尻と足とをなんとなく覗き見た。火見子は暗い頭上からふりそそいでくる黒い水滴をさえぎろうとしているように左手を高くかかげ、右手は腹のあたりに支えたまま、自分の右肩ごしに尻とわずかに屈めた右のふくらはぎとを見おろしていた。鳥は体じゅうの皮膚が寒毛だってくるほどの押えようもない、なまなましい嫌悪感を呼びおこされた。鳥は幽霊のひそむ暗闇から逃れるとでもいう具合に浮足だって、おののきながら寝室をとおりぬけ古なじみの籐椅子にとってかえした。動悸がした。いつそれを克服したのか定かでない、裸体への不安なまでの幼い嫌悪感が鳥によみがえっていた。かれは、病院のベッドに横たわって《心臓の病気のために父親ともうひとつ別の病院へ行った筈の》赤んぼうのことを考えている出産したばかりの妻にむかっても、その嫌悪感のタコが触手をのばすのを感じた。これはずっとつづくのだろうか？　しかも、もっと昂進するのだろうか？　鳥は爪で瓶の封印を剝ぎとりコルク栓をぬき、ウイスキーを自分のグラスにそそいだ。かれの腕は震えつづけていたのでグラスは怒った鼠が歯を噛みならしているようにせっかちで鋭い響きを発した。鳥は不寛容で閉鎖的な老人さながら棘とげしく眉をひそめて生のウイスキーを喉にほうりこんだ。灼けつく喉。鳥は咳きこみ涙ぐんだ。しかし、快楽的な熱の箭がたちまち鳥の胃を刺しつらぬき、鳥は身震いから回復した。鳥は野苺の香りのする子供じみたおくびをもらすと、濡れた唇を手の甲でぬぐい、震えのとまった正確な腕であらためてグラスをみたした。おれは何千時間アルコール飲料を避けてとおってきたのだったろう？　と鳥は考え、誰にともしれない遺恨のごときものを感じ、粟粒をついばむ四十雀めいて忙しげに二杯目のウイスキーを飲んだ。もう喉は痛まず咳きこむこともなく涙も滲まなかった。鳥は瓶をとりあげるとラベルの絵をしげしげと眺め、うっとりと嘆息し、三杯目を飲んだ。

　火見子が戻ってきた時、鳥はすでに酔いはじめていた。彼女の肉体の存在感を鋭敏にかぎつける嫌悪の機能は、アルコールの毒に麻痺しつつあった。しかも火見子が着こんできた黒いジャージーのワンピースはむくむくした毛のかたまりのような感じで、火見子を滑稽な熊の漫画みたいに見せ、それが覆っている肉体の印象を希薄におとしめる効果をはたしていた。火見子はいくらか髪の手入れをしたうえで室内燈をつけた。鳥はテーブルの上をちょっと片づけて、火見子のためのグラスとコップを置きなおすとウイスキーと水とを注いだ。火見子は彫刻つきの大きな木椅子に、ワンピースの裾から、洗ったばかりの皮膚が余分にはみださないように、細心に注意をはらって坐った。それは鳥にとってありがたかった。かれは嫌悪感にうち克ちつつあったが、まだそれを根こそぎ追いはらってしまったわけではなかった。

「ともかく！」と鳥はいうと自分のグラスのウイスキーを飲んだ。

「ともかく！」と火見子もいった、そして彼女は味をみているオランウータンみたいに下唇をとがらせてウイスキーをごくわずかの量だけすすった。

鳥と女友達は、熱い息を静かに吐いてそこらいちめんにアルコールの匂いをひろがらせながら、おたがいの眼を、はじめて見つめあった。火見子はシャワーをあびてすっかりフレッシュ・アップし醜くなく、陽の光に脅かされた瞬間の彼女とは母と娘ほどにもちがって見えた。鳥は満足した。彼女の年齢にもまだこの種の最も端的な蘇生の時があるわけだ。

「体を洗っていて思いだしたんだけど、こういう詩をおぼえている？」と火見子はいって英詩の一節を呪文のようにつぶやいた。鳥は聞きおわってからもういちどやってくれるように頼んだ。

Sooner murder an infant in it's cradle than nurse unacted desires......

「赤んぼうは揺籠のなかで殺したほうがいい。まだ動きはじめない欲望を育てあげてしまうことになるよりも、というのね」

「しかし、すべての赤んぼうを揺籠のなかで殺してしまうわけにはゆかないよ」と鳥はいった。

「これは誰の詩だい？」

「ウイリアム・ブレーク。わたしはブレークのことを卒業論文にしたでしょう？」

「そうだった、きみはブレークだった」と鳥（バード）はいうと頭をめぐらせて探し、居間と寝室の仕切りの板壁にかかげられたブレークの絵の複製を見つけた。鳥（バード）はこの絵を、たびたび見ていたが、とくに注意してそれを眺めてみたことはなかったのだった。しかし、いま気がついてみるとそれはいかにも奇妙な絵だ。石版風の効果をあげているが、それはじつは水彩画にちがいない。原画には色彩もあるのだろうが、いま部厚い木の枠にはめこまれてそこに飾られている版はいちめんに淡い墨色だった。中東風の建物にかこまれた広場。遠景に様式化された一対のピラミッドが浮びあがっているから、おそらくエジプトなのだろう。夕闇か夜明けの薄明りが画面を領している。広場には腹をあけられた魚みたいに横たわっている若い死者と、いたみ悲しむ母親を囲んで、燈りをかかげた老人や嬰児を抱いた女たちが描かれている。しかし最も重要なのは、それらの人々の頭上に両腕をひろげ跳躍して、広場を横切ろうとしている巨大な存在だ。それは人間だろうか？美しい筋肉質の体にはいちめんに鱗が生えている。禍禍（まがまが）しくファナティクに悲痛な憂いにみちた眼、鼻もめりこむほどに深く窪んだ口は山椒魚を思わせる。かれは悪魔なのか、神か？　暗く乱れる夜の空へ男は鱗の炎に燃えたちながら飛翔してゆこうとしているように見える……

「かれはなにをしているのだろう、体をおおっているのは鱗じゃなくて中世の兵士の鎖かたびらかなあ」

「鱗だと思うわ、色彩版のこの絵では緑色をしていてもっと鱗らしかったわ。かれはエジプト人の長子たちをみな殺しにするためにがんばっているペストなのよ」

鳥は聖書についてほとんどなにも知らなかった。出エジプト記かもしれない、と鳥は考えた。この鱗の男の眼と口の異様さときたら、激烈だ。悲しみ、恐怖、驚愕、疲労、孤独感、それに笑いの気配までが暗黒の眼と山椒魚じみた口から無限に湧いている。

「かれ、チャーミングでしょう？」

「きみはこの鱗の男が好きなのかい？」

「好きよ」と火見子はいった。「それに自分がペストの精であるとしたらどんな気持がするものかと、考えてみることも好きなのよ」

「自分がペストの精であるとしたら、この鱗の男みたいな眼と口になってしまうほどの気持がするわけだ」と鳥はちょっと火見子の口許を眺めてみながらいった。

「恐しいわね」

「ああ、恐しいね」

「わたしは恐しいめに会うたびに、もし逆に自分が誰か他の人間を、恐しいめに会わせる側だったらもっと恐しいだろうと思って、心理的な代償を得るのよ。あなたは自分がこうむったもっとも恐しい感情とおなじほどの恐怖を、他人の頭に植えつけたことがあると思う？」

「どうだろうなあ」と鳥はいった。「それはゆっくり考えてみなければわからないね」

「考えてみてわかる種類のことじゃないかもしれないわ」

「それじゃ、ぼくは、まだ他人を本当に恐しいめにあわせたことがないんだろう」

「そうね、きっと。あなたはまだそうしたことがないのよ。だけど、いつかはそれを経験するのじゃない?」と火見子は控えめながらも予言者風にいった。

「赤んぼうを揺籠のなかで殺すことにでもなれば、それは自他ともに恐しい経験になるだろう」と鳥(バード)はいった。

それから鳥(バード)はおなじように空になった、自分と火見子のふたつのグラスにウイスキーを注いだ。鳥(バード)はそのウイスキーをひとくちで飲み、またグラスを満たした。火見子の方はかれほど急ピッチに飲むわけではなかった。

「きみは節制しているのかい?」

「運転するから」と火見子はいった。「あなたを乗せたことあったかしら、鳥(バード)?」

「いや、まだだ。いつか、乗せてもらうことにしよう」

「真夜中に来てくれれば乗せるわよ。昼間は人通りが多くて危険だから。それにわたしの運動神経は夜型で、昼間は充分に活動できないのよ」

「そこで昼間は閉じこもって考えつづけているわけかい? 哲学者の生活だね。真夜中になると赤いMGで走りまわる哲学者か。きみがいま考えている、多元的な宇宙というのは、どういうことだい?」

鳥(バード)は火見子が喜びに緊張してくるのを淡い満足感とともに眺めた。鳥(バード)はいま、突然に彼女の部屋をおとずれてウイスキーを飲みはじめた不作法への償いをはたしているのだった。火見子の夢想について注意深く耳をかたむける者が、鳥(バード)のほかにそれほど多くいるわけではないだろうから。

「わたしたちがここで話しあっているでしょう、鳥(バード)。わたしたちには、まずこの現実世界が、ひとつあるわけね」と火見子は話しはじめた、鳥(バード)は新しくウイスキーを注いだグラスを子供のオモチャのように大切に掌にのせて聴き役にまわった。「ところで、わたしやあなたが、まったく異なった存在としてふくまれている、ここことは別の、数しれない他の宇宙があるのよ、鳥(バード)。わたしたちは過去の様ざまな時に、自分が生きるか死ぬかが、フィフティ・フィフティだった思い出をもっているわね。たとえばわたしは子供の時分に発疹チフスで、すんでのことに死ぬところだったわ。わたしは自分が死にむかって降るか、それとも回復への坂道をのぼるかのインター・チェンジに立った瞬間のことをはっきりおぼえているのよ。そしていま現に、あなたとおなじこの宇宙にいるわたしは生きかえる方向を選んだわけ。ところがあの瞬間に、もうひとりのわたしが死を選んだのよ。そしてその赤い発疹だらけのわたしの幼ない死体のまわりには、死んでしまったわたしについてわずかな思い出をもつ人たちの宇宙が、進行しはじめたわけ。ねえ、鳥(バード)? 死と生の分岐点に立つたびに、人間は、かれが死んでしまい、かれと無関係になる宇宙と、かれがなお生きつづけ関係をたもちつづける宇宙の、ふたつの宇宙を前にするのよ。そして服を脱ぎすてるみたいにかれは、自分が死者としてしか存在しない宇宙を後に放棄して、かれが生きつづける側の宇宙にやってくるのね。そこで、ひとりの人間をめぐって、ちょうど樹木の幹から枝や葉が分れるように様ざまな宇宙がとびだしてゆくことになるわ。わたしの夫が自殺した時も、そのような、宇宙の細胞分裂があったのよ。このわたしは、夫が死んでしまう側の宇宙に残されたけれども、夫が自殺しないで生きつづける向うがわの宇宙には、もうひとりのわたしがかれと一緒に暮していているんだわ。ひとりの人間が若死にしてあとに残す宇宙と、かれが死をまぬがれて生きつづけている宇宙、という形でわたしたちを囲む世界はつねに増殖してゆくのね。わたしが多元的な宇宙と呼ぶのはそういう意味なのよ。あなたも赤んぼうの死を、あまり悲しまないほうがいいわ。赤んぼうを軸にして分岐したもうひとつの宇宙では、生きのびた赤んぼうをめぐる世界が展開しているんだから。そこでは幸福にうっとりした若い父親のあなたが、おめでたい噂を聞いて上機嫌のわたしと祝杯をあげているのよ。いい？　鳥」

鳥はウイスキーを飲みつづけながら穏やかに微笑していた。アルコール分はいまかれの体じゅうの数しれない毛細血管のすみずみにひろがって、ちゃんとした効果を発揮していた。鳥の内側の薄桃色の暗闇と外部世界とのあいだの圧力関係に均衡がおとずれている。もっともそれが永つづきしないことは、鳥自身よく知っていたが。

「充分に理解したというのではないにしても、輪郭はつかめたわね？　鳥。あなたも二十七年の生活のうち、いくどかは、生きるか死ぬかの疑わしい分岐点に立つ瞬間があったでしょう？　あなたは、そういう瞬間に、いまのこの宇宙につづいている、ひとつの宇宙で生きのこるかわり、もうひとつの宇宙には自分の死体をひとつずつ残してきたのよ、鳥。そうした瞬間をいくつか思い出すでしょう？」

「思い出すね。確かにぼくはたびたび死にそこなったものだった。ところが、あれはそのたびごとにぼくの死体をひとつずつ、後にのこしてこちらの宇宙へ脱出してくることだったのかい？」

「そういうことね、鳥」

「そういえば、なぜ自分がうまく生きのびることができたのかまったくわからない最悪の瞬間もあったからなあ」と鳥(バード)はいくつかの遙かに遠い回想の呼び声に誘われて、いまにも眠りこもうとしているかのようにおぼつかない声で認めた。そうなのか、ああいう危機のたびごとにもうひとつのおれが、一個ずつの死体となってあとに残ったのか。おれは、こことはちがう様ざまな宇宙に、おっかなびっくりの弱よわしい小学生だったり、頭は単純だが体だけは現在のおれよりもっとしっかりした高校生だったりする、数かずの死んだ自分をもつわけか。現在のこの宇宙のおれがそうでないことは確かなのだが、それではいったいどの死者が、もっとも望ましいおれ自身だったろう？

「ぼくがついに別の宇宙への脱出に失敗して、この宇宙でのぼくの死が、すべての宇宙でのぼくの死だということになる、いわばぼくの最後の死は、いったいあるのかね？　ないのかね？」

「もし、それがないとしたら、すくなくともひとつの宇宙のあなたは無限に生きつづけなければならないわね。それがあるということにするわ」と火見子はいった。「それは、おそらく九十歳をこえての老衰死だわ。すべての人間がかれの最後の宇宙で老衰死するまで、いろんな宇宙での不慮の死を経ながらも別の宇宙では生き残りつづけるのよ。そして結局すべての人間がかれの最後の宇宙で老衰死することになるとしたら、それが平等というものじゃない？　鳥(バード)」

不意に鳥(バード)は気づいて、火見子を遮ぎると、

「きみは自殺した夫のことを、まだ心に咎めているわけだ」といった。「そこで、死をとりかえしのつかない決定的なものでなくするために、こういう心理的な詐術を考案しているんだ。そうじゃないか？」

「ともかく、こちら側の宇宙にのこっているわたしは、自殺したかれをいつも気にかけている苦しい役まわりをひきうけているのよ」とすでに衰弱のはじまっている眼のまわりのニビ色の皮膚を醜いほど急速に紅潮させて火見子はいった。「すくなくともわたしはこちら側の宇宙での責任を回避していはしないわ」

「ぼくはきみを非難するつもりなどないが、それはこういうことなんだね、火見子」と鳥(バード)は再び微笑して自分の言葉の毒を薄めようとつとめながらも固執した。「きみは、向う側の宇宙に生きているかれを想定することで、こちら側の宇宙で死んでしまったかれの、絶対的な、とりかえしのつかなさを相対化したいんだ。しかしどういう心理的なトリックをもちいても、ひとりの人間の死の絶対性を、なしくずしに相対化することはできないだろう？」

「それはそのとおりかもしれないわ、鳥(バード)、わたしにもう一杯ウイスキーをくれない？」と火見子はたちまち自分の多元的宇宙論に興味を失ってしまったとでもいうように索然としていった。

鳥(バード)は火見子とそれに自分のためにもまたウイスキーを注ぎ、火見子がかれの思いつきの批評をすっかり忘れてしまうまで泥酔し、明日からまた、その多元的な宇宙をめぐる夢想をつづけてくれればいいが、と希った。かれはタイム・マシンに乗って一万年前の世界をおとずれた旅行者さながら、自分の影響によって現実世界にいささかなりと異変をおこさせることを深く惧れているのだった。それは赤んぼうの異常について知らされて以来かれのうちにしだいに育ってきている気分だ。鳥(バード)は、悪い手がつづくトランプ遊びからちょっと降りるように、しばらくこの世界から降りていたいのだった。鳥(バード)と火見子は黙りこむと、なんとなくおたがいに寛大な微笑をかわしあって甲虫が樹液を飲むように真面目にウイスキーを飲んだ。夏のはじめの午後の街路の様ざまな物音を鳥(バード)はきわめて遠い場所からの、結局はむなしく聞きすてられる信号のように聴いた。かれは身うごきし小さな欠伸をし唾のように無意味な涙を一滴こぼし、また新しくウイスキーを注いでひとすすり飲んだ。自分がこの世界から、うまく降りつづけていられるように……

「ねえ、鳥(バード)」

鳥(バード)はウイスキーのグラスを指にはさんだまま甘い睡りにおちかけていたので、不快げにびくっと肩を震わせウイスキーを膝にこぼして眼をひらいた。かれは酔いの第二の段階に入っているのを感じた。

「ああ？」

「あなたが伯父さんからもらって着ていたバック・スキンの外套、どうした？」とやはり酔いにとらえられて大きいトマトのように丸く赤い顔をした火見子がことさらゆっくり舌を回転させて正確に発音しようとつとめながらたずねた。

「さあ、どうしたかなあ、あれは大学の一年のころ着ていたんだった」

「二年の冬まで着ていたのよ、鳥(バード)」

冬という言葉が酔いに鈍くなっている鳥(バード)の記憶力のプールを鋭く刺激して波だたせた。

「そうだった、きみと寝た時、雨あがりの材木置場の地面にじかに敷いたんだった。翌朝見たら、泥と、こまかな木屑がいっぱいこびりついていて、もう、どうしようもなかった。あのころ、クリーニング屋は、バック・スキンの外套の洗濯をうけつけなかったからね。そのまま、押入れにほうりこんでおいたんだが、いつか棄ててしまったんだな」と鳥はいって、すでにはるかな昔の出来事のように感じられるその冬の盛りの真夜中のことを思いだした。

それがなにを契機にしてであったかは忘れたが、大学二年の鳥と火見子がその夜一緒にひどく飲んで酔っぱらってしまったのだった。火見子を送っていった鳥は、彼女がその二階に下宿していた材木屋の裏の材木置場の暗闇で彼女をつかまえた。それは始め寒がりながら向いあって立った二人の単純な愛撫にすぎなかったのに、やがて鳥が偶然のように火見子の性器に直接、手をふれてしまった。そこで鳥は逆上し、板塀に立てかけてある角材に火見子をおしつけると、なんとかペニスを挿入しようと努力しはじめた。火見子も積極的に鳥をたすけはしたが、それでもつい声をひそめて笑ってしまうのだった。鳥たちは逆上していたけれども、まだそれはゲームの領域をはみだしていなかったのだ。しかし立った姿勢のままではペニスの挿入が不可能だとわかってくると、鳥は不当に子供あつかいされたように感じて執拗になった。鳥はバック・スキンの外套を地面に敷いて、なお笑いつづけている火見子をそこに横たえた。長身の火見子の頭と、膝から下は外套におさまりきらないで、じかに地面にふれていた。やがて火見子が笑わなくなったので、鳥は、彼女がオルガスムにむかいつつあるのだと考えた。もっとしばらくしてそれを確かめてみると火見子はただ寒いだけだ、と答えた。そこで鳥は性交を中止した。

「あの時分、ぼくは野蛮なものだった」と鳥は百歳の老人のように回顧的にいった。

「わたしも野蛮なものだったわ」

「なぜぼくらはどこかでやりなおさなかったのだろう？　あれ以後ぼくらは二度と一緒に寝なか

ったんだが」

「材木置場でのことは、偶発した事故という感じが強くて、翌日になってみるとくりかえし不能に思えたわ」

「そうだね、あれはまったく日常的じゃなかった、事件みたいだった。強姦事件という風だった」と鳥は恐縮していった。

「強姦事件そのものよ」と火見子が訂正した。

「しかしきみは本当にほんの少しの快感も見つけなかった？　オルガスムへの道は遠かった？」と鳥はうらめしげにいった。

「それは無理よ。わたしにとっては、あれが最初の性交だったんだから」

鳥は驚いて火見子を見つめた。鳥は、火見子がその種の嘘や冗談をいう性質の人間ではないことを知っていた。鳥は茫然とし、それから恐怖感と紙一重のやり方でかれを責めつける滑稽感に強制されて短く笑った。笑いは火見子にも感染した。

「確かに人生は奇怪だ、驚異にみちているよ」と鳥は酔いによってのみではなく、猛烈に赤くなっていった。

「憐れなことをいわないでよ、鳥。あの性交がわたしにとってはじめての性交だったということに意味があるとしたら、それはわたしにだけ関わっていて、あなたとは無関係なのだから」と火見子はいった。

鳥はグラスのかわりにコップにウイスキーをそそいで、それをひと息に飲んだ。かれは材木置場の出来事をもっと正確に思いださねばならないと感じた。たしかにあの時かれのペニスは、硬くひきしめられて尖った唇のようなものの抵抗にくりかえし拒まれたのだ。かれはそれが寒さから火見子が縮みあがっているせいだろうと考えたものだった。しかし翌朝かれのシャツの裾を汚していた血のしみ。おれはなぜ、あれについて疑ってみなかったのだろう？　そう考えた鳥(バード)を気まぐれな欲望がおそった。かれは痛みを忍耐しているとでもいう風に歯をかみしめウイスキーのコップを強く握りしめた。体の奥底の中心に、激甚な痛みと不安感のこんがらかった肉腫のごときものが生じ、それはまぎれもなく欲望そのものだった。心筋梗塞症の患者を肋骨の奥でとらえる痛みと不安感に似た欲望。しかもそれは、かれの意識の高みに輝いているアフリカ旅行の夢の対極の、ぐったりして安穏な日常生活のひとつのイボくらいのものにすぎなかった、週に幾度かの妻との性交によっておとしめられつつ解消される、おとなしい欲望、無気力で猥らなウフッというひと声とともにもの悲しい疲労感の泥にまみれる、家庭的な欲望とはちがったものだった。数千回も反復されうる性交によっては解決されない欲望。お猿電車のひとまわりのあと取りあげられてしまう切符のような欲望とは異なった欲望。欲望のなかのもっとも激甚な欲望、厳密に反復不可能なので、その達成の瞬間、汗ばんだ裸の背後から、死がしのびよってくるのではないかと不安に思われるほどの危険な欲望。それは、数年前の冬の真夜中の材木置場で、もし鳥(バード)が、いま自分はひとりの処女を強姦しているのだと十全に知っていたとしたら、充たされたかもしれない欲望だった。

　鳥(バード)はウイスキーの酔いに過熱しジンジン鳴っている眼球に力をこめて、鼬のようにすばしこく火見子をうかがった。脳が風船みたいにふくれあがり充血する。出口をみつけだせない煙草の煙が鰯の群さながら部屋を回遊しているので、火見子は霧のなかをただよっているように見えた。彼女はいま、酔いにうっとりし単純すぎて疑わしい微笑をうかべて鳥を見まもっているが、その眼はじつはなにものをも捉えていない。そして夢想にふけっている火見子はいくらか体全体が柔らかく丸っこくなったような感じがする、とくにその赤く熱っぽい顔がそうだ。

もういちど火見子と、あの冬の真夜中の強姦の劇をくりかえすことができるのなら、と鳥はうらめしい思いで考えた。しかしそういうことはできはしない。これから彼女と性交することになったにしても、その性交は、かれが今朝、服を着がえようとしてチラリと見た痩せた雀みたいな性器につながっているし、出産の際のしにものぐるいの拡大からのろのろと収縮しつつある妻の性器につながっている。瀕死の赤んぼうにつながり、この現実世界のありとある期待はずれでいまわしく、他人どもがみな協定してそれを知らないふりをすることをヒューマニズムとよんでいる、人間の猥雑な悲惨につながっている。欲望の昇華どころかスクラップ化だ。鳥はウイスキーを呷って生暖い内臓をびくりとおののかせた。もし、火見子を相手に、自分があの冬の真夜中にだめにしてしまった緊張しきった性関係を再現するとしたら、それにはもう彼女を締め殺しでもするほかに手がないだろう、と鳥は考えた。かれの内奥の欲望の巣から、羽ばたいて飛びたつ声、殺戮し、屍姦せよ！　しかし鳥は現在の自分がそのような冒険をおこないはしないことを知っていた。いま、おれはあの真夜中の火見子が処女だったことを教えられてものほしげに悔んでいるだけだ。鳥は自分の混乱を軽蔑し、そのような自分を拒否しようとした。ただ棘だらけで赤

それはのんびり眠っているつまらない廿日鼠だ。鳥の心の燃えたつウニとうらはらに萎縮してい
た。

鳥はズボンのポケットの奥の穴に指をおしこんであたたかくやわらかいものにさわってみた、

「そんな風に飲んでしまったあなたとは寝ないわ、それはおたがいに無意味だから」

「きみはこれからぼくと寝るつもりなのかい？」

くするのがおちよ、女の頭の脇にアルコールの虹をかけて！」

いつまでもオルガスムにたどりつけないでしょう。疲労困憊した遠泳選手みたいに心臓をおかし

「そんな風に飲めば女に満足をあたえられなくなるでしょう。それよりなにより、あなた自身が、

「なぜ？」

「御婦人と一緒の時も？」

「こうなんだよ、いつもこうなんだ、飲む時は」と恥かしげに鳥はいった。

て熱いうちならそんな風には飲めないわ」

「鳥、あなたはいつもそんな風に素早く大量にウイスキーを飲むの？　紅茶みたいに。紅茶だっ

た。

にもまずそうにウイスキーを飲んだ。すでにそれは強くなく香りたかくなく、苦くさえもなかっ

イヤーがベンチに戻って水を飲むように、ぐったりと疲れ、苛だたしく自己嘲弄的に、いか

自分の無智に茫然とするばかりだ。鳥はエラーつづきで選手交替を命じられたバスケット・プレ

ぬ緊張と爆発の劇を喚起するものを探せ！　しかし鳥は手も足もでない、異常で危険なものへの

黒い欲望と不安のウニは溶けさらなかった。殺戮し屍姦することができないなら、それにおとら

る。

「ほら、だめでしょう、鳥（バード）」とかれの動作をめざとく見とがめて火見子は勝ち誇ったようにいった。

「ぼくがオルガスムにたどりつけないとしても、ともかくぼくは孫悟空もどきに活躍して、きみだけは、そこまで押しあげることができるよ」

「そんなに簡単じゃないのよ、わたしのオルガスムは！　あなたはわたしたちが真冬の材木置場の地面にじかに横たわって寝たときのことを、正確にはおぼえていないようだし、それはそれでいいんだけど、ただ、わたしには、あれがスタートの儀式だったのね。寒くて汚ならしくて、滑稽かつみじめな儀式だったわね。それ以来、わたしは悪戦苦闘して長距離レースを走ってきたわ、鳥（バード）」

「ぼくは、きみを不感症にしたのかい？」

「ありきたりのオルガスムなら、たちまち見つけたわ。地面をかきむしったわたしの指の爪に材木置場の泥が残っているうちに同級生の誰かれから援助をうけて。だけど、わたしは階段を昇ってゆくみたいに、いつも、もっといいオルガスムを追いかけてきたのよ、鳥（バード）」

「きみが大学を卒業してからずっとやってきたことはそれだけかね？」

「大学を卒業してからというより、在学中から、それがわたしの仕事だったわ、いまからふりかえってみれば」

「うんざりしただろうなあ！」

「いや、いやや、そうじゃないよ、鳥（バード）。あなたにもいつかそれを理解させてあげるわ。もし、あなたが材木置場の事件だけでわたしを性的に記憶することにしたくなければね、鳥」

「それではぼくも、ぼくの長距離レースで獲得したものをきみに教えるよ」と鳥はいった。「欲求不満のヒヨコみたいにクチバシで探りあうのはよして、これから一緒に寝よう！」

「あなたは飲みすぎているわ、鳥」

「ペニスだけが性にかかわる器官だと思うのかい？　最良のオルガスムの探究家としては素朴なことを考えているね」

「指で、唇で？　それともたとえば盲腸みたいに信じられないほどおかしな器官で？　わたしは嫌よ、そんなことは。オナニーみたいな気持がするから」

「ともかくきみは率直だよ、偽悪的なほど率直だ」と鳥はたじろいでいった。

「それに鳥、今日のあなたは性的なものをなにひとつ望んでいない。むしろ性的なものを嫌悪しているように見えるわ。もし一緒に寝たとしても、あなたはわたしの足の間に膝をついて吐くくらいが関の山ね。あなたは嫌悪心に耐えきれなくてわたしのおなかを褐色のウイスキーと黄色の胃液だらけにするわ、鳥。わたしはもうすでにいちど、そんなひどいめにあったことがあるのよ」

「経験が人間になにごとかを教えるということはあるんだなあ、きみの観察は正しいよ」と鳥は悄然としていった。

「急ぐことはないわ」と火見子が慰めた。

「ああ、急ぐことはない。ぼくはずいぶん永いあいだ、本当に急がなければならないことにぶつかったことがないような気がするね。子供の時分は、年中、急いでいた。あれはなぜだったろう?」

「すぐ子供でなくなるからじゃない?」

「たしかにぼくはすぐ子供でなくなったね。そしていま父親の年齢だ。しかし父親としての充分な準備なしだったから、ちゃんとした子供にめぐりあえなかったんだ。ぼくが規格に合った子供の父親になれるのはいつだ? ぼくは自信をもてないよ」と鳥は感傷的になっていった。

「そんなことには誰だって自信をもてないわ、鳥。次の赤ちゃんがしっかりした赤ちゃんだったとき、自分もまた、ちゃんとした父親になったことを確認できるのよ、そして過去にさかのぼって自信をもつのよ」

「まったくきみは人生の知恵にみちた人間になったなあ」と鳥は励まされていった。「ぼくはきみに……」

そしてもう鳥は眠りのイソギンチャクの触手の波状攻撃に、あと一分間しか抵抗できないのを感じた。鳥は揺れうごく視界のなかの空のコップを仔細に眺め、頭をふり、もう一杯飲むべきかどうかを考え、結局、すでに自分が一ミリ・リットルのウイスキーをも許容できない状態にあることを認めた。鳥の指をはなれたコップは膝に衝突し、それからごったがえした床へ転げこんでいった。

「ぼくはきみにもうひとつだけ聞きたいんだが、赤んぼうのうちに死んだ人間の死後の世界は、どういう世界だろうね?」と鳥は立ちあがれるかどうか、ちょっと足踏みして験してみながら質問した。

「もしあるとしたら、それはとても単純な世界でしょうよ、鳥。だけど、あなたはわたしの多元的な宇宙説を信じられないの？　あなたの赤ちゃんも、最後のひとつの宇宙では九十歳まで生きのびるのよ！」

「ふむ、ふむ」と鳥はいった。「それでは、ぼくは眠るよ、火見子。もう夜かい？　カーテンの向うを覗いてみてくれないか」

「まだ昼間よ、鳥。眠るなら、わたしのベッドをつかっていいわ。わたしは夕暮から出かけるから」

「きみは憐れな友達を置きざりにして赤いスポーツ・カーで出かけるのかい？」

「憐れな友達が酔っぱらってしまったときには、独りにしておくのがいちばんいいわ。そうでなければ、後でおたがいに困ることになるわ」

「そうだ！　きみは人間の知恵のいいところをすべて自分のものにしている！　それできみは夜明けまでずっとMGで疾走しているのかね？」

「時にはそうよ、鳥、眠らない子供を探して駈けまわる砂男みたいに！」

鳥はぐにゃぐにゃして他人の体のように重い自分自身をやっとのことで籐椅子からひきずりあげると、火見子の逞ましい肩に腕をからませて寝室にむかった。太陽みたいに熱く赤い頭のなかを滑稽な小人がディズニーの映画で見たピーター・パンの妖精のように、光の粉をまきちらして輝きながら跳梁した。その幻覚にくすぐられて鳥は笑った。

「きみは親切な大伯母さんみたいだ」と鳥(バード)はベッドに倒れこむまぎわに一声だけ感謝の挨拶を叫ぶことができた。

鳥(バード)は眠った。かれの夢の夕暮れた広場を、悲しげな暗い眼と山椒魚さながら恐しげに裂けた口をした緑の鱗の男が横切っていたが、やがてそれらはすべて赤黒い夕闇の渦にまきこまれてしまった。スポーツ・カーが出発して行く音、そして深く徹底的な眠り。夜のあいだに二度鳥(バード)は眼ざめた。二度とも火見子は帰宅していなかった。鳥(バード)を眼ざめさせたのは寝室の窓の向うからの呼び声だ。それらの声は、ひかえめだが根気づよく執拗に、

「火見子さん、火見子さん」と呼んだ。

はじめに呼びかけてきたのはまだ少年らしい響きのある声だった。次に鳥(バード)が眼ざめた時、呼びかけていたのは中年男の声だ。鳥(バード)は体をおこし火見子がかれにむかってそうしたようにカーテンのあわせめをつまみあげて来訪者を覗いてみた。縮んだように窮屈げながら、一応きちんとした麻のタキシードを着こんだ小柄な紳士が卵みたいに丸い頭をあおむけて、羞かしがっているようでもあり淡い自己嫌悪を感じているようでもあるすっきりしない表情で呼びかけているのが、わずかな月の光のなかに見えた。鳥(バード)はつまみあげていたカーテンをおろすと隣りの部屋にウイスキーの瓶をさがしに行って残りをひとくち飲んでからあらためて、女友達のベッドに潜りこんで寝た。

5

鳥(バード)は呻き声にくりかえし攻めたてられて厭いやながら眼ざめた。かれははじめその呻き声を自分の声だと思っていた。実際、眼ざめた瞬間、かれの胃に湧いた無数の鬼どもが小さな矢でそこいらじゅうをつつきたてて、かれをひと声呻かせた。しかし、鳥(バード)はかれ自身のものではない呻き声を再び耳にしたのだった。かれは眼ざめたときの姿勢のまま、わずかに、ごく静かに、頭をもたげてベッドの脇を見おろした。ベッドとテレビのあいだの窮屈な床にじかに火見子が眠っていた。彼女が獣じみた力強い呻き声をたてているのだ。火見子はその夢の世界から、通信のように呻き声をおくってよこしている。それも恐怖の通信の呻き声を。鳥(バード)は火見子のおさなく丸っこくそして鉄色に濁った血色の悪い素顔が、苦しげに緊張したり愚かしく弛緩したりするのを、室内の空気のほの暗い網目ごしに眺めた。呻き声がたかまるたびに火見子は身動きし、喉や胸を太い指でひっ掻いた。鳥(バード)は、毛布からあらわになった火見子の乳房と脇腹とを仔細に眺めた。正確な半球型をしているが、不自然に両脇にかたより、おたがいにそむきあった乳房。それらのあいだのなんとなく鈍感な平べったく広い部分。鳥(バード)はその未成熟な胸に見おぼえがあるのを感じた。冬のさかりの真夜中の材木置場で見たのだろう。しかし脇腹と、毛布のかげにほとんどかくれている腹のふくらみは、鳥(バード)にいささかの懐かしさをも喚起しない。そこには年齢が蓄積しはじめた脂肪の気配がある。それは鳥の知らない火見子の新しい生活の側面に属している。脂肪の根はまたたくまに皮膚のしたのくまぐまにひろがり火見子の体の形をつくり変えてしまうだろう。そして乳房もまた、いまそこに残っているちょっとした清新な気分をうしなってしまうだろう。

火見子があらためて激しく呻き、不意に脅かされたように、かっと眼をみひらいた。鳥は眠っているふりをした。一分あと、鳥が眼をひらくと火見子はまた眠りはじめているのだった、こんどは毛布で喉もとまですっかりくるみ、ミイラみたいな恰好で、呻き声も苦渋の表情もない虫の眠りのような眠りを。彼女は夢のなかのお化けと、なんとか協定したのだろう。鳥は安堵してそのまま眼をつむり、かれ自身の胃の問題にたちむかった。威嚇し、揺さぶりをかけてくる胃の問題。不意に胃はみるみる膨張して、鳥の体のなかと意識の世界のすべてを充満しつくす。火見子はいつ戻ってきたのだろう？　とか、赤んぼうは戦傷兵アポリネールのように頭に繃帯をしたまま、すでに解剖台の上に運ばれたのではないか？　とか、今日の予備校での授業は果してうまくゆくだろうか？　とかいう切れぎれの想念が、胃の圧力にさからって鳥の頭の中央に潜入しようとしては、ひとつずつ撃退される。おれはすぐにも嘔きはじめるだろう、と鳥は考えた。恐怖心がかれの顔の皮膚をいちめんに冷えびえとさせる。おれがこのベッドを汚物だらけにしたら、火見子はおれのことを、いったいなんと思うだろう？　おれは酔っぱらったあげく、しかも真冬の戸外で強姦同様に処女をうばい、しかもその本当の意味を知りさえもしなかった。それから数年たち、もういちど同じ部屋で夜をすごすと、酔いつぶれて眠ったあげく嘔気におそわれているのだ。おれはまったくなんというひどいことをする男なのだろう。鳥は匂いたてるおくびをたてつづけに十個もらし、頭痛に唸りながら上体を起して、ベッドの外へ抵抗感にみちた困難な一歩を踏みだすと、のろのろ浴室にむかった。いつのまにか鳥は下着いちまいの他はすっかり裸だった。立て付けの悪い硝子戸をひらき、息を切らせながらも無事浴室に閉じこもった時、思いがけない期待の喜びが鳥をおとずれた。火見子に気づかれないで嘔吐をすませることができるかもしれない。それもキリギリスが嘔くみたいな風におとなしく嘔いたなら、ということだが。

鳥は跪ずき、洋風便器の腰支えに両肱をあずけ頭をたれて、敬虔に祈るように、胃の緊張が爆発点に達するのを待った。冷えきっていた顔じゅうの皮膚が、今度は不自然な熱にほてり汗ばみ、そして不意にまた熱気も汗もそこに感じられなくなる。そのような姿勢で覗きこむ者の眼に便器は白く大きな喉のようだ、窄まった奥にたたえられている清らかな水もふくめて、まさに喉だ。第一の嘔気がつきあげてくる。鳥は吠えるように声をあげ、のばした首筋をかたくこわばらせ猛然と吐く。鼻じゅうが刺激のつよい水でびしょびしょになる。鳥は喘ぐ。涙が頬をしたたり、唇のまわりにこびりついた汚物のところまで流れおちる。鳥はあらためて食道に残った分を弱よわしく吐き出す。頭のなかを黄色の火花がとびかったあと、小休止だ。鳥はひと仕事終えた水道工事夫のようにゆっくり上体をおこし、備えつけの紙で顔をぬぐい、音高く幾たびも鼻をかむ。ああ、と鳥は嘆息した。しかし嘔吐がそれで終るわけではない。それが鳥の慣例だ。いったん嘔吐をはじめると、かれはすくなくとも二度吐く。しかも第二の嘔吐は胃の力にまかせることができない。自分の指を汚してかきたて、まねきよせねばならない。その苦しさを予感して鳥は嘆息したのだった。かれは再び頭をたれた。便器のなかはいまや汚れはて荒涼としている。かれは嫌悪のあまりに眼をつむり頭の上を手探りして紐をひく。音をたてて大量の水が流れ、小さなツムジ風がひんやりと鳥（バード）の額をかすめた。眼をひらくと再び、白く大きな喉が清らかにひらいている。鳥（バード）は赤くてちっぽけな自分の喉に指をつっこんでむりやり吐きはじめた。そして呻き声、無意味な涙、頭のなかの黄色い火花、ひりひり痛む鼻孔の粘膜。鳥（バード）は吐きおわり、汚れた指と唇のまわり、それに涙にまみれた頬をぬぐうと、そのままぐったりと便器によりかかっていた。おれは赤んぼうの苦しみをいくらか償ったことになるだろうか？　そう考えてみて、鳥（バード）は自分の虫のよさに赤面した。二日酔の苦しみこそは、まったくの、不毛な苦しみだ、それは他のいかなる苦しみをもあがなわない。たとえそれが頭のなかのちょっとしたひらめきにすぎないにしても、おれはそのような偽の償いを許容するほど厚顔であってはならない、と鳥（バード）はモラリスト風に自分を糾弾した。しかし、吐きおわったあとの安堵感と、それが決して永つづきするものではないにしても、胃のなかの鬼どものいちおうの沈黙が、眼ざめて以来はじめて鳥（バード）にいくらか過しよい時をあたえていた。おれは今日、予備校で授業しなければならないし、おそらくはすでに死んでしまっただろう赤んぼうのために、病院で様ざまな手つづきをすませねばならない、と鳥（バード）は考えた。そして義母に赤んぼうの死について連絡し、いつ妻にそれをうちあけるかを、相談しなければならない。これは大事業だ。ところがおれは、久しぶりに訪ねた女友達の家の浴室で二日酔から吐いたあと体じゅうの力を喪って便器にもたれ茫然としているのだ。なんだか途方もない話じゃないか？　しかし鳥（バード）はそのように追いつめられた状態に恐怖を感じているかといえばそうではなくて、逆に、すっかり責任を放棄し完全に手も足も出なくなっている現在の数十分間の状態に、ひとつの自己救済の感覚をあじわっているのだった。いまのおれときたら、ぐったりして鼻と喉の粘膜のヒリヒリする痛みを感じているだけなのだから死に瀕していた赤んぼうの兄弟のようなものだ。おれのとりえはただ、赤んぼうのように泣き喚きはしないというだけだが、じつは泣き喚く赤んぼうより数等みっともない……

もしそれが可能だったなら、鳥は、水洗式の洋風便器のなかに身を投げざま、紐をひいて下水管の地獄へ水音も高く流れこんでしまうことを選んだだろう。しかし、鳥は名残りおしげに唾をひと吐きして便器に別れると、硝子戸をあけて寝室に戻ろうとした。その時、鳥はなんとなく火見子の存在を忘れてしまっていたのだが、寝室に裸の足を一歩踏みいれてたちまち、火見子がはっきり眼をさまして、かれの嘔吐の様子やら、その後のおかしな沈黙の気配やらを、充分に観察したにちがいないことをさとった。火見子は眠っていた時の姿勢のまま横たわっていたが、鳥はカーテンの隙間からのごく微細な光の粉に、火見子の額、瞼、鼻梁、それに上唇の輪郭が淡い金色に浮びあがるのを、そして眼がすみからすみまで黒ぐろと翳りながら、しかも広く見ひらかれているのを見た。鳥は彼女の足もとを廿日鼠みたいに小走りにまわりこんで、ベッドのすそのズボンとシャツにむかうほかないが、そのあいだもずっと火見子はシャッターを全開にしたカメラのレンズのような色の眼で鳥の筋ばって毛だらけの腿やいくらか膨らみはじめた腹を見るだろう。

「きみはぼくが犬みたいに吐くのを聞きつけたかね？」と鳥は臆した声でたずねた。

「犬みたいに？　ずいぶん豊かな声量をもった犬ねえ」と火見子はあらためてその広く見ひらかれた穏やかな眼で鳥を検討するように眺めやりながら、まだはっきり眠りからさめていない声でいった。

「そうだよ、牛ほどもあるセント・バーナード犬だ」とがっかりして鳥はいった。

「苦しそうだったわ。もう終ったの？」

「ああ、いまのところはね」と鳥はいった、それから衰弱しきっている鳥は、ゆらゆらよろめきながら、しかも火見子の足を毛布の上からいやというほど踏んづけたりもしながら、やっとのことで自分のズボンにたどりつき、あわてふためいて足をとおしながら、「しかし、午前中にもう一度は吐くと思うよ。いつでもそういう具合なんだ。ぼくはしばらくアルコール飲料をのまなくて、二日酔から遠ざかっていたから、今日のひさしぶりの二日酔は、ぼくの生涯の最悪のやつになるかもしれないや。いま考えてみるとぼくが何週間も飲みつづけたのは、二日酔をどうにか始末しようとしてあらためて飲むという具合に、アルコールの無限軌道を走りはじめたのがきっかけだったよ」と憂わしげな調子を誇張して滑稽な効果をだしてみようとしながら、結局はにがにがしく自省的な調子におちいっていった。

「また、そうしたら？」

「今日、ぼくは酔ってなどいられないね」

「レモンを飲めば、いくらかはすっきりするわよ。台所に買ってきてあるから」

鳥は柔順に台所を覗いた。磨り硝子ごしにフランドル派じみた光線がさしこんでいる流しに、ごろごろころがった十数個のレモンは、弱っている胃の神経にぐんとこたえるほどなまなましい黄色に輝いていた。

「きみはいつも、こんなに沢山レモンを買うのかい？」と、ズボンをつけ、シャツのボタンも喉もとまできっちりはめていくらか余裕をとり戻した鳥（バード）はたずねた。

「その時によるわ、鳥（バード）」と火見子は、質問の退屈さを思い知らせようとでもするようにしごく冷淡に答えた。

鳥（バード）はまた余裕をうしなって、

「きみはいつ帰ってきた？　夜明けまでMGで走りまわっていたのかい？」といい、火見子がかれを嘲弄的に見かえしているだけなので、それが重要な報告だとでもいうように、急いでつけくわえた。「夜ふけに、きみの友達が二人きたよ。卵型の頭をした中年の紳士だった。ひとりは子供のようで、もうひとりは、カーテンの隙間から見たけど、ぼくは挨拶しなかったんだが」

「挨拶？　もちろん、しなくていいわよ」と火見子はいささかも感情を動かされないでいった。

鳥（バード）は上着のポケットから腕時計をとりだし、時間を確かめた、九時。かれの授業は十時からだ。無届け休講したり遅刻したりする勇気をもった予備校教師がいたら、かれは相当な人物だ。鳥（バード）はそれほど勇猛果敢かつ、鈍感な教師ではなかった。かれは手さぐりでネクタイを結んだ。

「あの二人とは幾度か一緒に寝たのよ。そこでかれらは自分に真夜中に訪問する権利があると信じているのね。子供の方は奇妙なタイプよ。わたしと二人きりで寝ることには特に興味を感じていなくて、わたしと、他の男が一緒に寝ている傍で、それに協力したいと夢みているわ。いつもわたしの所に誰か来ている時を狙って訪問してくるのよ、その癖ひどいやきもちやきなんだから！」

「きみはかれに、そういう機会をあたえてやった？」

「まさか！」と火見子はきっぱりいった、それから「あの子は、あなたのような型の大人が好きだから、いつか一緒になれば、あなたのために、ずいぶん気をつかうわよ。鳥、あなたは、そういう種類のサービスをたびたびうけてきたのじゃない？　学校では下級生のあいだに崇拝者をもっていたり、予備校では、とくに献身的な生徒がいたりするのじゃない？　わたしはあなたのことをそういう小社会の子供たちのヒーロー型だと思うわ」

鳥は頭をふって否定してから台所へ出て行った。冷えびえした床板に、じかに足裏がふれると鳥はまだ靴下をはいていなかったことに気づいて、さあこれは一苦労だぞ、靴下をさがすために屈みこんで腹を圧迫したなら、おれはまた吐くかもしれない、と懊悩した。しかし床板をはだしで踏むのは気持がよかったし、蛇口からほとばしりでる水に指をうたせるのも、濡れた指でレモンをつかんでみるのもかすかながら快楽的な気分だった。鳥は大ぶりのレモンをひとつ選んで二つに切るとそれを絞って飲んだ。懐かしい回復期の感覚が、かれの喉から虐げられた胃にむかうレモンの果汁とともに冷たくピリピリしながら降下していった。

「レモンはとても効くようだったよ」と寝室にひきかえした鳥は用心深く上体をまっすぐにして靴下をさがしながら、感謝の念をこめて火見子にいった。

「また吐くにしても、今度はレモンの味がして、ちょっといい感じよ」

「きみは哀れな希望をひねりつぶす」と鳥はレモン汁のもたらした満足感がたちまち雲散霧消するのを見おくっていった。

「なにをさがしているの？　沢蟹をさがしまわる熊みたいな恰好で」

「靴下さ」と鳥(バード)は自分の裸の足を間がぬけていると感じて小声でいった。

「靴のなかにしまってあるわ、出かける時に靴と一緒にはくように」

鳥(バード)は毛布にくるまって横たわったままの火見子を疑わしげに見おろし、それは火見子の情人たちがこのベッドにもぐりこむ時の習慣なのだろうと推測した。かれらは自分より巨きくて粗暴な他の情人があらわれたとき、靴をひっかかえてはだしのまま跳びだせるように、そうしておくのだろう。

「それじゃ、ぼくは出かけるよ。午前中に二時間、授業しなければならないのでね。昨夜と今朝のことは、本当にありがとう」と鳥(バード)はいった。

「また来てくれる？　鳥(バード)。わたしたちは、お互いに必要な人間なのかもしれないわ」

鳥(バード)は唖の人間が不意に叫ぶのを聴いたとでもいうようにショックをうけた。火見子は厚ぼったく丸い瞼をとざしかげんにし眉根に皺をよせて鳥(バード)を見あげていた。

「そうかもしれない。ぼくらはお互いに必要な人間なのかもしれない」と鳥(バード)はいった。

そして鳥(バード)は居間の暗がりを、はだしの足裏に草の実の棘や針金の切れっぱしをチクチク感じながら、沼沢地を踏破する探検家のようにおっかなびっくりで横切り、靴ぬぎにかがみこむと吐気の到来をおそれて大急ぎで靴下と靴をはいた。

「じゃ、さよなら、お休み！」と鳥(バード)は叫んだ。

女友達はひっそり黙ったままだった。鳥(バード)は戸外に出た。酸のように鋭い光にあふれた夏の朝だ。鳥は真紅のMGの脇を通りすぎようとして、点火スイッチにさしこまれたままの鍵を見つけた。やがてこのスポーツ・カーをやすやすと盗む泥棒があらわれるだろう、と鳥はもの悲しい気分で考えた。それにしても、あの勤勉で注意深く聡明だった女子学生が、このように欠落だらけの性格に転化してしまったのはどういうことなのだろう。しかも結婚すれば若い夫に自殺されてしまうし、深夜に車を走らせてカタルシスしたあとも、恐しい夢を見ては唸り声をあげている。

鳥はMGの鍵をぬきとろうとした。しかし、自分がいま薄昏がりのなかで眉をひそめ硬く眼をつむり黙りこんでいる女友達のところへひきかえすとすれば、もういちど表へ出てくるのは困難なことになってしまいそうなのだ。鳥は鍵から指をはなして、あたりを見廻し、すくなくともいまの所は自動車泥棒がこちらをうかがっているようではない、と気休めを考えた。アウト・スポークのタイヤの傍に短くなった葉巻がおちている。それはおそらく昨夜の卵型の頭をした紳士が棄てたものだろう。鳥よりもっと親身に火見子の面倒を見ようとしている連中は数多いにちがいない。鳥は頭をふり深呼吸して、さまざまな脅威で鎧った二日酔のザリガニから身をまもるべく試み、それでもうちひしがれた態度をたてなおすことはできないで、うつむいたまま光り輝く路地を出て行った。

しかし、うまい具合に鳥は、予備校の玄関をくぐるまで持ちこたえることができたのだった。舗道、プラットフォーム、そして電車。これは最悪だが、鳥は喉をからからに乾かせながらも震動と他人どもの匂いを耐えしのんだ。その車両の乗客たちのなかで鳥だけが汗を流しつづけていたので、かれをめぐる一米平方にだけ早急に、盛夏が到着してしまったかのようだった。鳥と皮膚をふれあう他人は、そろっていぶかしげに、かれをふりかえって見た。鳥はレモンを一籠喰った豚さながらレモン臭い息をついては憐れげに恐縮するほかない。しかもキョロキョロあたりを見まわしては、火急の際に吐きに走るべき場所を物色しているのだ。予備校の玄関まで、嘔吐をまぬがれてたどりついたときの鳥は敗走の永い旅に疲れきった老戦士の気分だった。しかしもっとも困難なのはそれからだった。敵は先廻りして鳥を待伏せていたのだ。

　鳥は、専用のロッカーからリーダーとチョーク箱を取りだした。それから鳥は棚の上のCODを一瞥したが、それが今日はあまりにも重そうに感じられたので、教室へ携えて行くことはやめにした。もっとも鳥の教室には語句の意味と文法の規則に関するかぎり、教師のかれを遙かに上まわる力をもった生徒が幾人もいた。もし見たこともない単語か難解なフレーズがあらわれたなら、かれらをひとり指名することで足りるだろう。かれの教室の若者たちの頭は、細部についての詰めこみ知識で発達しすぎたアンモン貝のように複雑になっているので、いったん総合的に対象をとらえようとするやいなや動きがとれなくなってしまう。そこで鳥の役割は文章の意味の全体を総合し総括してやることだった。しかし鳥は、かれの授業がはたして大学受験に有効なのかどうかに、いつも不燃焼な強迫観念じみた疑いを持っていた。

　ロッカー・ルームを出ると、鳥は、ミシガン大学出身の、いかにも在留邦人のエリートあがりらしい、愛想がよくて眼の鋭い外国語関係主任に声をかけられるのを惧れて、教員室の奥のエレベーターを利用せずに、いったん裏口から外へ出ると、キズタのように建物の外壁を這っている螺旋階段をかれの教室へ昇って行った。しだいに眼下にひらける市街の光景には眼もくれず、かれを追いこして駈けあがってゆく生徒たちが螺旋階段にひきおこす船のローリングみたいな揺れに辛うじて耐えながら、青ざめ汗をしたたらせ荒い息をはき、時どき唸るようにげっぷをして。鳥があまりにもゆっくり昇って行くので、かれを追いこす生徒たちは、自分のスピードに一瞬とまどってたちどまり、鳥の顔を覗きこんで、なんとなくたじろぎ、それから螺旋階段を揺さぶって大股に駈けあがって行く。鳥は眼が昏む思いで嘆息し手すりにしがみつく……

　螺旋階段を昇りきってほっと安堵した鳥は、そこでかれを待ちうけていた友人に声をかけられて、また緊張をとり戻した。友人は鳥たち臨時の通訳仲間でつくっているスラヴ語研究会の世話人だった。鳥はいま二日酔とのイタチごっこで手いっぱいだったので、予期しなかった人間と会うことをひどい厄介事のように感じた。鳥は攻撃された貝のように自分を閉じた。

「やあ、鳥」と友人はいった、鳥の渾名はいかなる場所でもどのような種類の友人の間でも通用しつづける。「昨日からたびたび電話連絡したんだが、通じなくてね、そこで、やってきたんだよ」

「ああ」と鳥は不愛想に答えた。

「デルチェフさんの噂、聞いたかい？」

「噂？」と鳥は漠然と不安を感じて問いかえした。デルチェフさんはバルカン半島の小さな社会主義国の公使館員で、鳥たちの研究会の講師だ。

「デルチェフさんが、日本人の小娘のアパートにいりびたって公使館に戻らないというんだよ、もう一週間にもなるというのさ。公使館では、内輪で解決して、デルチェフさんをつれ戻したいんだが、そもそも公使館ができたばかりなんだし、人手不足でね。場所が新宿のいちばんごみごみしたどんづまりときているし、迷い子探しに行く能力のある公使館員がいないのさ。それで、おれたちの研究会に依頼してきたんだよ。もともとおれたちにいくらかの責任はあることなんだ」

「責任？」

「デルチェフさんは、研究会の例会のあとでつれて行った酒場の小娘と一緒なのさ、あの《椅子》の」と友人は照れくさげに笑った。「顔色の悪い小柄で風変りなやつがいただろう？」

鳥（バード）もすぐ、その顔色の悪い小柄で風変りなやつ、を思いだした。

「しかし、あの子は英語もスラヴ系のどんな国語もしゃべれないだろう？　デルチェフさんは日本語がだめだし、どうしているんだろうね」

「そうなのさ、かれらは一週間も、いったいどういう風に過したのかなあ、すっかり黙りこくってかね？」とますます照れくさげに友人はいった。

「もしデルチェフさんが、いつまでも公使館に戻って行かなければどうなる？　逃亡とか亡命とかいうことになるのか？」

「それはそうだよ」

「困ったなあ、デルチェフさん」と鳥（バード）は憂鬱にいった。

「おれたちの研究会で、集って考えたいんだ、きみは今夜、暇かい？」

「今夜か……」と鳥（バード）は当惑していった。「今夜はだめなんだよ」

「デルチェフさんとは、きみがいちばん親しかっただろう？　おれたちの研究会から使者を出すとすれば、それはきみにひきうけてもらいたいんだがね」

「使者か、それはともかく今夜は困るんだ」と鳥（バード）はいった、それから意を決して、「赤んぼうが生れたんだが、異常があってね、もう死んでしまったか、いま死につつあるかという所なんだ」

友人はたちまち怯んで、あっ！　というような声をだした。かれらの頭上で始業ベルが鳴り響いた。

「それは大変だな、じつに大変だな。それじゃ、今夜の集会はおれたちだけでやるよ。赤ちゃんのこと気を落さないでくれ、奥さんの方は大丈夫かね？」

「ああ、大丈夫だよ、ありがとう」

「デルチェフさんの事件の対策がきまれば、連絡しよう。しかし、きみ、衰弱している感じだね、気をつけてくれ」

「ありがとう」

鳥（バード）は二日酔について黙っていたことで自分を咎めながら、螺旋階段を大慌てで逃げだすように肩をふって駈け降りてゆく友人を見送った。それから鳥（バード）は教室に入って行った。その瞬間、かれは百人の生徒たちの蝿の頭じみて醜い顔に相対しているのだった。鳥（バード）は反射的にうつむき、ふたたび顔をあげて生徒たちを正面から見ることはしないようにと警戒の臍をかため、リーダーとチョーク箱を自衛の武器のように胸の前にささげもって教壇に上った。

授業だ。鳥（バード）はリーダーの栞がはさみこまれているページを開き、先週終った分の次の節から、なんの先入観もなく、朗読しはじめた。そしてすぐ鳥は、そのパラグラフがヘミングウェイから採られたものだということに気づいた。リーダーは、外国語関係主任がアメリカ現代文学から趣味的に切りとってきた、文法的にいちいち罠のある短い章節の集大成である。ヘミングウェイ、と鳥は力づけられる思いで考えた。かれはヘミングウェイが好きだ、とくに《アフリカの緑の丘》をかれは愛読していた。引用されているパラグラフは《陽はまた昇る》からで、終り近くヒーローが海水浴をする部分だった。「私」が泳いでいる、うねりをこえて、時には水をかぶりながら沖に出ると、波の静かな所で、体をあおむけにして漂う。空しか見えない、波のうねりが高まったり低まったりするのを感じている……

鳥は自分の体の奥底で、押えがたく確実な危機が始まるのを感じた。喉が徹底的に乾き舌は異物めいて腫れあがった。恐怖心の羊水がかれを浸した。それでも鳥は朗読をつづけながら病んだイタチのように狡猾にかつ弱よわしくドアのあたりをうかがった。あすこへ向って突進すれば、間に合うだろうか？　しかし、そうしなくていいようにこいつをやりすごすことができれば、それが最上だ。鳥は気をまぎらすために読みながらこのパラグラフの前後を思いだそうとした。「私」は砂の上で休んだり、また泳ぎに出たりする。それからホテルの方へ戻って行くと、かれを去って若い闘牛師と駆けおちした恋人から電報がきているのだった、鳥はその電文を思いだそうとした、

COULD YOU COME HOTEL MONTANA MADRID
AM RATHER IN TROUBLE BRETT

それはうまく思いだせた。これは幸先がいい、この電報はおれがかつて読んだもののうち、いちばん魅力のある電報だ、おそらく嘔気は克服できるだろう、と鳥は祈念するように力をこめて考えた。それから、鳥は「私」が眼をあけたままダイヴィングし海に潜ると、青いものがスイイ流れて見えるのだった、と考えた。ここに引用された範囲内にそこがでてくれば、おれは吐かなくてすむだろう、これはおまじないだ。鳥は読み進んでいった、「私」は海からあがり、ホテルに戻り電報をうけとる。電報は鳥の記憶どおりだ、

COULD YOU COME HOTEL MONTANA MADRID
AM RATHER IN TROUBLE BRETT

しかし「私」は海水浴をおわったのに、眼をあけたままダイヴィングする光景はついに現れなかった。鳥は驚いて、あれはヘミングウエイの別の小説だったのだろうか、それともまったく別の小説家の文章だったのだろうか？　と疑った。おまじないは破れた。そしてついに鳥は声をうしなった。喉に幾千万の乾ききった罅われが走り、舌は口腔いっぱいに腫れあがり、唇からはみだそうとした。鳥は百個の蝿の頭にむかって眼をあげ微笑した。滑稽でせっぱつまった五秒間の沈黙。それから鳥は両膝をついてくずおれ、泥まみれの床に蛙のように指をひろげた両掌をついて、呻きたてながら吐きはじめた。鳥は、嘔吐する猫さながら、首をまっすぐつきだして吐いていた。内臓をよじられ搾りあげられるので、巨大な仁王の足に踏みしだかれて、むなしくじたばたする小っぽけな鬼みたいな様子でもあった。せめてのことに鳥はユーモラスな吐き方を試みたかったのだが、実際にかれがやっているのは、まさにその逆だ。ただ、吐瀉物が舌の根を浸し

て逆流するとき、それは火見子の言葉どおり確実にレモンの味がしたので、鳥はこれこそ地下牢の壁に咲いたスミレだと考えて、余裕をとり戻そうとした。しかしそういう心理的な詭計も最高潮にたっした嘔吐の発作のまえにはクリーム菓子のようにもろく、もの凄い唸り声をあげた鳥は口を広くあけたまま体じゅうをこわばらせた。顔の両脇から、馬の眼覆いのような形の黒いものがするするとのびて、鳥の眼のまわりを暗くとざした。鳥はこのまま、なお暗く、なお深い場所にもぐりこみ、そしてここは別の宇宙にとび去りたい！　と熱望した。

一瞬あと、もちろん鳥はこちら側の宇宙に居残っていた。かれは涙をこぼし、鼻の両脇をぬるぬる濡らして、憐れげにじっと自分の吐瀉物の水たまりを見おろしていた。いちめんに淡い赭土色をしたなかに鮮烈な黄色のレモン滓がちらばっている水たまり。荒涼と素枯れた季節にセスナ機で低空飛行すれば、アフリカの大草原は、このような色彩を呈するかもしれない、これらのレモン滓のかげに犀やアリクイや野生の山羊がひそんでいるわけだ。落下傘をつけ銃をだきしめバッタのように大急ぎでばらばらと跳びおりる……

吐気はすっかりおさまっていた。鳥は泥と胃液に汚れた手で唇のまわりをちょっとこすりつけると立ちあがった。

「こういうわけだから、今日の授業は、うちきらせてください」と鳥はまさに気息奄奄の声でいった。

百個の蝿の頭どもは納得したように見えた。鳥はリーダーとチョーク箱とをとりあげようとした。ところが、ひとつの蝿の頭がやにわに立ちあがって、なにごとかを喚きたてはじめたのである。かれは農民の息子らしい丸っこく女性的な顔を、艶を発してくるまでに紅潮させ、薔薇色の唇をひらひらさせて喚いていたが、口腔にこもるような発声で、しかも吃りがちだったので、なにを主張しているのかなかなかわからなかった。それでもしだいにすべてが明瞭になった。かれは、はじめから鳥の態度を予備校の教師にあるまじきものとして非難していたわけだが、鳥がかれの非難をあびながらも訝かしげな様子をしめしているだけなので、ついに攻撃心の鬼と化していた。かれは予備校の授業料の高さや、受験までの時の短さ、予備校にかける期待と、それがむなしく挫かれることへの怒りについて際限なくかたるのだ。やがて鳥をとらえた困惑は、酒が酢にかわるように恐怖感に変った。恐怖の暈が眼のまわりに隈のように濃くにじみでて、自分が恐怖の眼鏡ザルにかわってゆくように鳥は感じた。やがて九十九人の蝿の頭どもにもこいつの憤激が感染してゆき、おれは百人の怒れる浪人どもに囲まれて脱けだしようのない窮地におちいるだろう。あらためて鳥は、毎週授業の対象にしてきたこれら百人の生徒たちのことを自分がいささかも理解していなかったことに気づいた。鳥は得体の知れない百人の敵に囲繞されている自分、しかも二日酔のたびかさなる嘔吐に体力を消耗しつくしている自分を見出した。抗議者はますます昂奮していまや涙を流さんばかりだった。その若者に答えようとしても嘔吐のあとのかれの口腔は乾ききって一滴の唾も分泌しない。鳥にはまさに鳥類の叫喚のごときものを一声発することができそうに思えるだけなのだ。ああおれはどうしたらいいだろう、と鳥は声のない悲鳴をあげた。おれの日常生活にはいつもこういう最悪のおとし穴がひらいていておれが落ちこむのを待ちうけているのだ。しかも、最悪なる上になお最悪に、アフリカでおれが出会うはずだった冒険的な生活の危機とちがって、おれはこのおとし穴に落ちこんでも、失神するわけにはゆかないし事故死することもできない。いつまでも茫然と穴ぼこの壁を見つめつづけているほかない。おれこそ電報をうちたいものだ、AM RATHER IN TROUBLE しかし誰に宛てて？

その時だった、中ほどの列の席から、ひとりの機敏そうな若者が立ちあがると穏やかにアンチ・クライマクスな気分で、こういった。

「おい、泣きごとをいうなよ。なあ！」

教室じゅうに昂まりかけていた硬くとげとげした感情の蜃気楼がたちまち融けさった。そのあとにユーモラスな活気が湧きおこって、生徒たちは声をあげて笑った。潮時だった。鳥(バード)はリーダーをチョーク箱に重ねて扉に向った。

鳥(バード)が扉をひらいたとき、背後にもういちど喚き声がしたのでふりかえると、かれを非難しつづけた生徒が、かれの吐瀉物にむかって、嘔吐したときの鳥(バード)とおなじく四つん這いになり匂いをかいでみては喚いていた。

「アルコールの匂いがする。おまえは二日酔だ、理事長にジキソして、おまえを馘にしてやるぞ！」

ジキソ？　と鳥(バード)は考えた、そして、ああ、直訴か、と思いあたった時、教室の中ではまた、あの愉快な若者が、

「なあ、おまえ、それを喰うな！」と憂わしげな調子で呼びかけ新しい笑いをまきおこした。

鳥は四つん這いの告発者から解放されて、螺旋階段を降りて行った。火見子のいうとおり窮地におちいったかれを、弟の年代の援護射撃手が救助してくれるということがあるのかもしれない。鳥は螺旋階段を降る数分間、吐瀉物の残り滓の酸っぱい味を舌や喉の奥に見出して時どき眉をしかめながらも幸福な気分だった。

6

小児科の医局への通路と、特児室への通路との別れ道に立ちどまって鳥は迷った。手押車に乗って鳥に向ってきた若い患者が不機嫌にかれを睨みつけて道をあけさせた。患者は両足のあるべき場所に旧式の大型ラジオを置いていた。そしてその他のどこにもかれの両足は見あたらない。鳥は恐縮して壁ぎわに身をひいた。患者はもう一度、威嚇するように足の上に体をのせて生きている人間の代表、鳥を睨みつけると凄じいスピードで廊下を突進して行った。鳥はそれを見送って溜息をついた。鳥の赤んぼうが、まだ生きているとするなら、鳥はまっすぐ特児室にむかうべきだった。しかし既に死んでしまっているとしたら、赤んぼうの死体の解剖と火葬の手続きをうちあわせに、小児科の医局へ出頭しなければならない。これは賭だ。鳥は医局にむかって歩きはじめた。かれは自分が赤んぼうの死のがわに賭けた、ということを意識の表面にはっきり固定させた。かれはいまかれの赤んぼうの真の敵、生涯の最初で最大の敵だった。鳥はうしろめたく感じ、そして、もし永遠の生命があり審く神があるなら、自分は有罪だ、と考えた。しかしその罪障感は、救急車のなかで赤んぼうのイメージを《アポリネールのように頭に繃帯をまいて》と言葉にして考えた時にかれをおそった悲しみ同様、多分に甘い蜜の味がした。鳥は情人に会いに行こうとでもしているという風にしだいに足を早め、赤んぼうの死をつたえる声を求めて歩いた。死の報告をうけ、様ざまな手続きをおこない（病院側は解剖に積極的だろうからその手続きは簡単にちがいない、厄介なのは火葬の手続きだろう、と鳥は心準備した）そして今日はおれひとりで赤んぼうをとむらい、明日、妻に不幸を告げにゆこう。おれは妻に、頭に傷をうけて死んだ赤んぼうが、おれたちのあいだの肉体的な絆となった、という風にいうだろう。おれたちは、家庭生活をなんとか復興できるだろう。そして再び、おなじ不満、おなじ充たされない希望、おなじく遠いアフリカ……

鳥は医局の低い窓口に頭をななめにして覗きこむと、その奥からかれを見かえす看護婦に、名前をなのって、昨日赤んぼうを運びこんだ時の様子を説明した。

「ああ、あの脳ヘルニアの赤ちゃんなら」と唇のまわりに黒い毛がまばらにのびている初老の女は表情をほぐして軽やかにいった。「特児室に直接行ってください、特児室はご存知？」

「ええ、知っていますが」と鳥は嗄れ細く痩せてくる声でいった。「それで赤んぼうはまだ死なないのでしょうか」

「もちろん生きていますよ！　ミルクもよく飲むし腕や足の力も強いですよ、おめでとう！」

「しかし脳ヘルニアなので」

「ええ、脳ヘルニアですね」と看護婦は鳥の躊躇をものともしないで微笑していった。「はじめてのお子さんですか？」

鳥はそれにうなずいてみせただけで声にだしては答えず、大急ぎで廊下をひきかえし特児室にむかった。鳥は賭を失った。鳥が払うべき賭金はいくらだろう？　車椅子の患者がもういちど曲り角で鳥に出くわしたが、今度は鳥がわきめもふらずにまっすぐ急いでゆくので、衝突寸前にそちらがあわてて道をひらいた。鳥はもう車椅子の患者に恐縮するどころか、かれの不具を意識にのぼせすらしないのだった。不満げにかれを見送る車椅子の上の欲求不満者に両足がないなら、鳥の方では体の内部が出荷後の倉庫のように空虚だ、とでもいう具合に。二日酔はまだ鳥の胃の底と頭の深みで、毒どくしい名残りの歌をうたっていた。鳥は、短く苦しげに厭な匂いのする息を吐いて急いだ。病院の本館から入院患者の病棟への渡り廊下は吊り橋のような弧状の勾配をえがいていて鳥の不安定な気分を刺激した。それに入院患者病棟の、両側を病室にかこまれた廊下は遠方のわずかな明るみに向って延びている暗渠のようだ。青ざめた鳥はしだいに小走りになった。

特児室のドア、それは氷室の外扉のように堅固なブリキ板張りだ。鳥はドアごしに内部の看護婦に、羞かしいことでもささやきかけるような声で名前を告げた。鳥は昨日はじめて自分の子供の異常を知った時の、肉体をそなえた自分自身を恥かしく思う感情にふたたびとりつかれているのだった。看護婦は鳥をもったいぶった態度でむかえいれた。看護婦が、かれの背後にドアを閉ざしているあいだに、鳥は入ってすぐの柱にかけられた楕円の鏡のなかに、額から鼻へ汗にとけた脂を浮かせ、唇は吐息になかばひらき、そしていかにも自己閉鎖的な暗い眼をしている、痴漢みたいな顔を見た。鳥は唐突な嫌悪にはじかれてすぐ眼をそむけたが、その自分の顔の印象はすでにかれの眼の奥に鋭くきざみこまれているのだった。おれはたびたび、この顔の記憶にさいなまれるだろう、という固い約束のような予感が鳥の火照った頭をかすめてすぎた。

「おわかりになりますか、あなたの赤ちゃん？」

看護婦は鳥と並んで立つと、いわばこの病院でもっとも健全で美しい赤んぼうの父親にたいして話しかけるとでもいうようにそういった。しかし彼女は微笑していず、好意的な様子でもなかった。そこで鳥は、これは特児室でおきまりのクイズなのだと考えた。質問した看護婦のみならず、竪に長い部屋の奥の巨大な瞬間湯沸し器の下で大量の哺乳瓶を洗っている二人の若い看護婦も、彼女たちの脇で粉ミルクを計量している中年の看護婦も、黒板やら貼紙やらでごたごたしている汚ならしい壁にそった申し訳ほどの狭い机に窮屈げにむかってカルテを検討している医者も、その手前で、鳥同様、ここに収容されている災厄の種子の父親らしい小柄の男とむかいあって話しているもうひとりの医者も、一瞬みな、働いていた手を休め黙りこみ期待をこめて鳥をふりかえった。

鳥は広いガラス板の仕切りの向うの赤んぼうたちの病室を見わたした。かれの内部から、医者たちや看護婦たちの存在を意識する感覚がたちまち脱落した。鳥は、白蟻の巣の高みから、草原の弱い獣たちを物色する、けわしく乾いた眼のピューマのように赤んぼうたちを眺めた。

荒あらしいほど豊かな光がそこにあふれていた。そこはもう夏のはじめではない、夏そのもの、夏の内臓のなかにある。鳥(バード)はその光の乱反射に額を灼かれた。二十台の幼児用ベッドと電動式のオルガンみたいな五台の保育器。そのなかの赤んぼうは霧をとおしてのようにぼんやりとしか見えない。逆にベッドの上の赤んぼうたちは、あまりにも剝きだしだ。みな明るすぎる光の毒にやられてぐったり萎縮している。この世でもっともおとなしい家畜群のような赤んぼうたち。わずかに腕や足を動かしている者らもいるが、かれらにも白い綿の肌着とおむつは鉛の潜水服のように重たげだ。赤んぼうたちみなに、拘束された者の印象がある。手首をベッドの枠に結びつけられたり（それはかれが自分の弱い皮膚を引っ掻くからであるにしても）足首をガーゼの紐で固定されていたり（それが輸血のために切り裂いた足首を保護するためであるにしても）する者たちもいて、かれらはまさに小っぽけで無力な虜囚だ。かれらはみな一様に沈黙している。ガラス板がかれらの声を遮蔽しているのか？ と鳥(バード)は考えた。しかし赤んぼうたちはみな食欲のない銭亀のように憂わしげに唇を閉じている。鳥(バード)はすべての赤んぼうたちの頭につぎつぎと眼を走らせた。かれは自分の赤んぼうの顔をすでに忘れてしまっていたが、かれの赤んぼうには見あやまつことのない標識があるわけだった。病院長はいったものだ、外観、見たところ？ 頭がふたつあるように見えますよ、ワグナーの《双頭の鷲の旗のもとに》という音楽を聞いたことがあるが、と。あいつは街のかくれたるクラシック音楽通なのだろう。

しかし鳥(バード)はそのような頭の赤んぼうを見出せなかった。かれはくりかえしベッド群を苛いらと眺めわたした。そのうち不意に、いかなるきっかけもなしに、すべての赤んぼうたちが牛のレバーのような色の口腔をひらいて泣きわめき活潑にうごきはじめた。鳥(バード)は怯んだ。そして鳥(バード)が、これはどうしてみんな一斉に眼ざめたんです？　と問いかけるように看護婦をふりかえると、彼女は赤んぼうたちの叫喚にはいささかの注意もはらわず、じっとおし黙って興味深げに鳥を見つめている他の看護婦たち医者たちともども、なおゲームを続けて、

「わからない？　保育器の中です。さあどの保育器があなたの赤ちゃんのお家でしょう？」

　鳥は無抵抗にいちばん身近の保育器を覗きこんだ、水族館の水あかやプランクトンでくもった水槽を覗きこむように、腰をかがめ、眉をひそめて。そこに鳥は、毛を毟った鶏ほどにも小さく異様に黒っぽくカサカサしている皮膚をした赤んぼうを見出した。かれは丸裸で、サナギのようなペニスにビニロンの袋をつけ、臍の緒はガーゼで保護されていた。かれはお伽話絵本の小人のように分別くさい顔つきをして鳥を眺めた。かれもまた、看護婦たちのゲームに参加しているみたいだった。かれはあきらかに鳥の赤んぼうではなかったが、鳥はその静かな老人めいておとなしく衰弱している未熟児に大人同士の友情のような気持をいだいた。鳥は赤んぼうの黒ぐろと濡れているおだやかな眼から努力して自分の眼をそらし上体を起こすと、これ以上はもうゲームなどうけつけないぞという風に決然と、看護婦をふりかえった。他の保育器の内部を覗くことは角度と光の具合で不可能だった。

「まだわからない？　窓ぎわのいちばん奥の保育器よ。ここからでも赤ちゃんが見える場所に保育器を移しましょう」と看護婦はいった。

　一瞬、鳥は憤然とした。しかし、それをきっかけに看護婦たちも医者たちも、鳥への関心の集中をとき、かれらの手仕事や会話に戻ったので、このゲームが鳥を特児室にうけいれるための一

種の儀式であったことがわかった。鳥は忍耐し、看護婦の示した保育器を眺めた。鳥は特児室に入っていらい看護婦の影響力のもとにあって、抵抗的な気分や反撥心を喪いつつあった。かれもまた無気力でおとなしく、そして突然に不可解な一致をしめして泣き喚く赤んぼうたちとおなじく、ガーゼの紐で拘束されたようだった。鳥は熱い吐息をつき、汗に湿ってくる掌をズボンの膝でぬぐい、こんどはその掌で額と瞼と頬の汗をぬぐった。眼球を両掌でおさえつけると黒くにごった濃い赤の炎が燃えたち、深淵に頭から墜落してゆくような幻覚がおこって鳥はよろめいた。

　鳥が眼をひらくと、看護婦は、鏡のなかに歩みいる人間のように、すでにガラス仕切りの向うに入りこんで、窓ぎわから保育器を動かしてこようとしていた。鳥は体を硬くし拳をにぎりしめて待ちかまえた。そして鳥はかれの赤んぼうを見た。赤んぼうはもう負傷したアポリネールのような繃帯を頭に巻いてはいなかった。かれはこの特児室の他のいかなる赤んぼうたちともちがって茹でたエビみたいに赤く、異常にあざやかな血色をしている。顔じゅうが治癒したばかりの火傷の痕でおおわれているようにてらてらしているのだ。激しい不快を忍耐しているという風に、眼をつむっている、と鳥は考えた。赤んぼうが忍耐している不快は、かれの後頭部から確かにもうひとつの赤い頭のようにとびだしている瘤がひきおこすものであるにちがいない。鳥は赤紫色の瘤を見つめた。それは重く厄介で頭に縛りつけられた錘りのようだろう。おそらく瘤とともに産道を通過する際の圧力に強制されて細く尖った長い頭。それは瘤よりも、もっと直截に鳥の内部にショックの杙をうちこみ、二日酔の嘔気とはちがう、より根源的にかれの存在そのものにかかわった、ほんとうに恐しい嘔気をひきおこした。鳥は、保育器の背後で鳥の反応を観察している看護婦にうなずいてみせた。もう沢山だ、という具合に、あるいはなにかわけのわからぬものにすっかり屈伏した、とみずから認めるような具合に。赤んぼうは、瘤とともにいつまでも育ちつづけるのではないか？　すでに赤んぼうは死に瀕してはいない。甘く容易な悼みの涙をそそぎかけられて融けさるゼリーのような存在ではない。かれは生きつづけ、鳥を圧迫し攻撃しはじめてさえいる。エビみたいに赤く、傷痕のようにてらてら光る皮膚につつまれ、赤んぼうはいま猛然と生きはじめている、重い瘤の錘りをひきずって。植物的存在？　そうだとしてもそれは危険なサボテンみたいな植物だ。看護婦は、鳥の反応を見きわめて満足げにうなずくと再び窓ぎわへ保育器を押して行った。赤んぼうたちの叫び声の嵐がまたひとしきり起って、炉の中のように光の煮えたつガラス仕切りの向うをおののかせた。鳥はぐったり肩をおとし頭をたれた。銃が火薬で装塡されるように鳥のうなだれた頭は赤んぼうたちの叫喚で装塡された。鳥は自分にもまた、赤んぼうたちのように小さなベッドか保育器がほしいと思った。とくに保育器、霧のようにたちこめる水蒸気で充満した保育器、鳥はそのなかで愚かしい魚類さながらエラ呼吸する。

　鳥の脇に戻ってきた看護婦が、

「できるだけ早く入院手続きをしてください。保証金は三万円です」といった。

　鳥はうなずいた。

「ミルクの飲み方も、とても強いし、手足の運動も活潑ですよ」

いったい、なんのためにミルクを飲みなんのために運動を？　と怨めしげに問いかけそうになるのを鳥は抑制した。鳥はとめどない零し屋めいてくる自分に嫌悪を感じた。

「しばらくお待ちください、いま小児科の担当の先生に来ていただきます」

そして鳥は放置され、無視された。哺乳瓶やおむつを運ぶ看護婦たちの、脇に張りだした肱がたびたび鳥の体を小突いたが、彼女たちは鳥の顔をうかがいさえもしなかった。ただ鳥だけが低い声で謝りつづけた。そのあいだ、ガラス仕切りのこちら側は、医者にむかって挑みかかるように話している小男の高い声の支配下にあった。

「肝臓がないというのは確実なのかねえ？　なぜそういうことになったのかねえ？　もう百遍も説明聞いたけど、納得できないよ。肝臓がない赤んぼうだなんて本当かねえ、先生？」

鳥は看護婦たちがせわしげに往復する通路をさえぎらない場所にどうにか入りこむと、汗ばんだ自分の手を見おろしてうなだれていた。それは濡れた無地の皮手袋のように見える。そのうちに鳥はかれの赤んぼうが耳のあたりにかざしていた手を思いだした。それはかれの手と同じく大ぶりで指が長かった。鳥は自分の手をズボンのポケットにかくした。それから鳥は医者相手に執拗な論理を展開している中年過ぎの小男を眺めた。男は、その骨格やごくわずかに乾燥肉のごときものがついているだけの肉づきの体にはあきらかに大きすぎる開衿シャツを、第一ボタンをはずし袖をまくりあげて着こみ、茶のニッカー・ボッカーをはいていた。シャツからのぞいている頸も腕も浅ましいほどに陽やけし貧しく筋ばっている。肉体的な素質にめぐまれなくて、慢性的に過労の肉体労働者によくあるタイプの皮膚と筋肉。ちぢれて油じみた黒い髪が猥らにこびりついている鉢のひらいた大頭の、広すぎる額と鈍い眼、頭の上半分にくらべて不均衡に小さい唇と顎。かれは肉体労働をしながらもじつは単なる肉体労働者ではないのだろう。思考力と神経をすりへらして小企業の責任をとりながら、かれ自身も筋肉労働をしているのにちがいない。かれは腹まきほどにも幅びろな皮ベルトをつけているが、それに充分対抗するに足る大仰さの鰐皮の腕時計バンドで鎧った腕をふりまわし、かれより二十センチは背の高い医者に自分を押しつけている。受けこたえの言葉も表情も、いかにも小官僚的な医者に対して、小男は強がってみせ、うさんくさい権威をちらつかせ、しゃにむにことを有利に運ぼうとしているように見える。しかしかれが時どき、看護婦たちや鳥（バード）をかえりみる素早い眼つきには、一種の敗北主義者の印象、とうてい回復できない頽勢をみずから認めている者の印象もあるのだった。不思議な男だ。

「なぜ、そうなったかはわからない。アクシデントだなあ。しかし事実としてだね、あんたの赤んぼうには肝臓がないよ。便が白いでしょうが？　便が真白でしょうが？　そういう便をする赤んぼうを他に見たことある？」と医者は小男の挑戦を一蹴しようとして居丈高にこたえていた。

「ヒヨコでねえ、白い便をするのを見たがねえ。先生、鶏にも、一般に肝臓あるでしょうが、レバ、焼鳥で喰うよ、先生。それでいてヒヨコにはねえ、往々にして白い便するのがいるよ」

「ヒヨコじゃない、人間の赤んぼうのことだよ、あんた」

「しかし、白便する赤んぼう、それほど珍しいかね？　先生」

「白便などといわないでくれよ、混乱するよ」と憤然として医者は遮ぎった。「緑便という言葉はあるよ、しかし白便などと、勝手な言葉つくるなよ、混乱するよ！」

「じゃ、白い便といいましょ。肝臓がないやつはみな白い便をする、というのはわかったが、白い便をする赤んぼうがみな肝臓がないとは定められないのじゃないかねえ、先生」

「そのことなら、もう百回も説明したでしょうが！」と医者が悲鳴みたいに聞こえる憤激の声をあげた。かれは小男を冷笑しようとしているのだが、部厚いロイド眼鏡をかけたその長大な顔はわれをうしなってこわばっているし唇は震えている。

「もういちど、それをうかがいましょ、先生」と小男は落着いて穏やかな優しい声でいった。「肝臓がないということは、うちの息子にも、わたしにも笑い事じゃない、重大なことなんだから、そうでしょう？　先生」

結局、医者は屈伏し小男をかれの脇の椅子にかけさせて、カルテをとりだすと説明をはじめた。いまやかれの声も、それに時どき疑義をはさんでいる小男の声も、排他的にひたすらかれらのあいだを行き来して鳥にはその意味を聞きとることができない。

そこで鳥がそちらへ頭をさしのべて耳をすましたとき、荒あらしくドアを開いてかれの背後へせかせかと入りこんできた鳥と同年輩の白衣の男が、

「どなた？　脳ヘルニアの新生児の家族の方」と金属の笛の音じみた高く細い声で呼びかけた。

「ぼくです、ぼくが父親で」とふりかえって鳥はいった。

医者は、鳥をしげしげと見まわした。かれの眼は鳥に亀を連想させた。眼のみにとどまらず、箱型の顎も、皺よってたるんでいる長い喉も、みなが亀を、それも無邪気な亀ではなく、粗暴で

兇悪な亀を思わせた。しかし眼の黒い部分が小さすぎて無表情な点のようなので、全体にやや白っぽく見えるかれの眼には、なんとなく単純で善良そうな感じもひそんでいる。

「きみ、はじめてのお子さん？　それじゃ、困ったろうなあ」と医者はなおも鳥をいぶかしげに見まわしながらいった。

「はあ」と鳥はいった。

「まだ今日のところはとくにとりたてていうことはないね。この四、五日のうちに、脳外科の先生に診てもらいましょう。うちの副院長がその権威だから。手術するにしても、体力をつけさせておかないことには、すっかりむだになるからね。うちの脳外科は猛烈に混んでるから、むだなことは避けたいからね」

「手術することになるのでしょうか？」

「それに耐える体力がつけば手術してもらえるでしょう」と医者は鳥の躊躇を別の意味にとっていった。

「手術をして、正常な子供に育つ可能性はあるでしょうか？　昨日、赤んぼうが生れた病院では、そうするにしても植物的存在にしかならないということでしたが」と鳥はいった。

「植物的存在ねえ……」

　医者は鳥の問いに直接には答えないでそういうと黙りこんだ。鳥は医者を見まもってかれの次の言葉を待っていた。そして突然、鳥は、自分がひとつの恥かしい熱望にとらえられるのをじつに確実に感じとった。それは、鳥が、小児科の窓口で赤んぼうの生存をつげられたとき、おぞましく黒いウンカの群のように、かれの頭のなかの暗闇にあらわれ、凄じい勢いで増殖しながら、それ自体の意味をしだいに明確にしてきた熱望だった。おれと妻とが、その植物的存在、赤んぼうの怪物に一生涯しがみつかれて暮すとは、どういうことだ、とあらためてそれを意識の表面にのぼせて鳥(バード)は考えた。おれはなんとしても、赤んぼうの怪物から逃げきらねばならないぞ。そうしなければ、ああ、おれのアフリカ旅行はどうなるだろう？　鳥(バード)は自己防衛の熱情にかられ、あたかも保育器のなかの赤んぼうの怪物から、ガラス仕切りごしに狙われているとでもいうように身がまえた。同時に、鳥(バード)は蛔虫のように自分にとりついたエゴイスムを恥かしく感じて、体じゅうに汗を滲ませ赤面した。かれの片耳はすっかり痺れてそこを血の流れる音しか聞かなかった。かれの眼もまた透明、かつ強大な拳で殴りつけられたように充血しつつあった。ああ、おれは、と鳥(バード)はますます恥の感覚に赤面し涙ぐんでしまいながら、アフリカ旅行の夢を防衛しようとして、植物的存在の重荷、赤んぼうの怪物の重荷をまぬがれたい、とねがった。しかしそれを口に出して医者に訴えかけるには鳥(バード)をとらえた恥の感覚が重すぎるのだ。鳥(バード)は絶望してトマトみたいに赤い顔をうなだれた。

「きみは、この赤ちゃんが、手術をうけ、回復することを、まあ、一応回復することを望んでいないの？」

鳥(バード)は、たとえば睾丸の襞のように、自分の肉体のいちばん醜いけれどももっとも快楽に敏感な場所を、わけ知りの指にひとなでされたように感じて、身震いした。ますます赤面しながら鳥(バード)は自分で聞くに耐えないと感じる卑しい声で、

「手術をしても、正常な子供に育つみこみが希薄なのでしたら……」と訴えた。

鳥はいま、自分が卑劣さへの降り坂の第一歩を踏みだしたのを、卑劣さの雪のかたまりが最初の一回転をおこなったのを感じた。かれはまっしぐらに卑劣さの降り坂をおりてゆくだろうし、かれの卑劣さの雪球はみるみるうちに肥えふとってゆくにちがいない。その絶対的な避けがたさの予感に鳥は再び身震いした。しかしそのあいだもかれの熱をおびて潤んだ眼は医者に懇願しつづけているのだ。

「直接に手をくだして、赤んぼうを殺してしまうことはできないよ」と医者は鳥の眼を嫌悪の色をひらめかせながら尊大に見かえしていった。

「それは、当然……」と鳥はまたびくっとおののいてから、いかにも意外なことを聞くとでもいう風にいそいでいった。そしてかれは、自分がいま仕組んだ心理的なペテンに、医者がいささかもたぶらかされていないことに気づいた。それは二重の屈辱だが、鳥はそれに反撥して自分をたてなおそうとはしないのだった。

「きみも若い父親だし、といって、おれくらいの年か？」と医者は亀みたいな頭をめぐらしていうとガラス仕切りのこちら側の、かれらより他のメムバーを一瞥した。鳥は医者がかれを嘲弄しようとしているのではないかと疑い、深甚な怖れを感じた。そうだとしたら、おれはこいつを殺してやる、と鳥は眼も昏む思いで、むなしい強がりを喉の奥でつぶやいた。しかし医者はかれの恥かしい切望に加担してくれるつもりなのだった。かれは他のメムバーに聞こえないように声をひそめてこういった。

「赤ちゃんのミルクの量を塩梅してみよう。ミルクのかわりに砂糖水をあげる場合もあるでしょう。それでしばらく様子を見て、しかもなお赤ちゃんが衰弱しないようなら、やはり手術にもっていくほかないね」

「ありがとうございます」と鳥はいかがわしい吐息とともにいった。

「どういたしまして」と医者はまた鳥に、自分が嘲弄されているのではないかと疑わせる調子でいうと、もとの抑揚に戻って「四、五日たってから、見に来てください。せっかちに急いでも、きわだった変化は期待できないよ！」といいわたし、蠅を喰った蛙さながら堅固に唇を閉ざした。

鳥は医者から眼をそむけて頭をさげるとドアに向った。かれの背に追いかけるように看護婦が叫んでよこした。

「できるだけ早くね、入院手続きを！」

鳥は犯罪の現場から逃れるように闇雲にせきたてられてほの暗い廊下を歩いて行った。暑かった。そこで鳥ははじめて、特児室で冷房装置が動いていたことに気づいた。この夏鳥が出会った最初の冷房装置だ。鳥は歩きながら、恥に熱い涙をこそこそ拭った。しかも頭のなかは、かれの周囲の空気よりも涙よりもなお熱く、鳥はしきりに身震いしながら病後の人間のように不確実に歩いて行った。開かれている共同病室の窓の向うの、ベッドに横たわったり半身を起こしたりしている、獣じみて汚ならしい患者たちが、涙をこぼしながら歩いて行く鳥を、いかにも無感動に見送った。個室のつづく一角までくると涙の発作は静まったが、恥の感覚は眼の底にソコヒのような核となって居坐った。それはまた眼の底のみならず鳥の体のさまざまな深みでかたまりつつあった。恥の感覚の癌。鳥はその異物感を感じとりはしたがそれについて考えてみることはできなかった。鳥の頭は消耗しつくしていた。ひとつの個室のドアが開かれていた。鳥はその向うに若い小柄な娘が全裸で立ちはだかっているのを見た。娘の体は青黒い翳りをおびて未発育な印象だった。娘は鳥をキラキラ光る眼で挑むように見つめながら、左腕で小さな乳房の隆起する狭い胸をいとおしげに抱きしめ、右腕をたれて平べったい下腹をなでまわし、恥毛をつかみ、それから小刻みに足をずらせて両脚をひらくと背後からの光が一瞬うかびあがらせた性器のまわりの金色の繊毛のなかへやはり自分自身をいとおしむように優しく指を沈みこませた、鳥は色情狂の娘がみずからオルガスムにいたる暇をあたえず、しかしその娘に愛に似た憐愍の念をいだいて、ドアの前を通りすぎた。鳥は恥の感覚のあまりに、かれより他の存在に持続的な関心をもつことができないのだった。鳥は渡り廊下に出たところで皮ベルトと鰐の時計バンドのあの論理家の小男に追いつかれた。かれは鳥にたいしても威圧的な昂然たる態度を示して、身長の差をカヴァするつもりだろう、ぴょん、ぴょん跳ねるようにしながら鳥と並んで歩いた。それからかれは意を決したように大声をはりあげ、鳥をあおぎながら話しかけてきた。鳥は黙ってそれを聞いた。

「あんた、戦わなきゃだめですよ、戦わなきゃ、ファイト、ファイト」と小男はいうのだった。

「ファイト、病院がわとのファイトですよ！　とくに医者と戦わなければ！　わたしは今日、ずいぶん戦ったよ。あんた、聞いたでしょうが？」

　白便という小男の新造語を思いだして鳥はうなずいた。小男は病院とかれのファイトを有利に運ぶべくおおいに虚勢をはって、ひとつ白便などといってみたわけだ。

「うちの息子には肝臓がないのだからねえ、病院相手にわたしがいつも戦っていてやらないと、生体解剖されかねないよ、いや、本当の話！　大病院でねえ、うまくやってゆこうとすれば、まずは、戦う気持になることなんですよ。おとなしくして、先方に気にいられようとするやり方はだめだね。だって、死にかかっている患者は、これはもう、死人以上におとなしいんだから。われわれ病人の父兄はそこまでおとなしくできませんぜ。ファイト、ファイトだ。この前なんか、わたしはねえ、赤んぼうに肝臓がないなら、人工肝臓をつけろといってやったんですよ。ファイトするには戦術を研究しないといけないから、これで勉強してますよ。現に直腸のない赤んぼうに人工肛門をつけたというんだから、人工肝臓ぐらい考えていいだろうといってやったんですよ。肝臓のほうが肛門などよりずっと高尚じゃないかとねえ！」

鳥たちは本館の正面玄関に達していた。鳥は小男がかれを笑わせようとしているのを感じてはいたが、もちろん笑いだす気分ではなかった。そこでかれは自分の憂い顔を弁解するかわりに、

「秋までには回復されますか？」とたずねた。

「回復する？　とんでもない、うちの息子には肝臓がないんだから！　わたしは戦っているだけですよ、この大病院の二千人の従業員を敵にまわして、ファイトしてるだけなんですよ」と小男は鳥にショックをあたえるほど独特な悲しみと弱者の威厳を閃めかせて答えた。

小男はかれのオート三輪で近くの国電の駅まで送ってやるといったが、鳥はそれを断り、日盛りの病院前広場のバス停留所へひとり出て行った。鳥は、入院手続きのための三万円のことを考

それにむしばまれている恥の感覚があかるみに剥きだされるような性交。鳥はバスを待つ人々の指をふれた。鳥は惨めで卑小でものほしげな気分で、最も反社会的な性交を欲した。かれがいまようにみるみる育った。鳥は眼をつむったままズボンをまさぐり布の上から勃起している性器に響きに無感覚になった。それから鳥の頭のなかの暗闇に、性欲の芽があらわれて若いゴムの樹の恥の感覚やあてどない憤りの渦巻をおしくるんで、赤っぽい暗闇がひろがった。鳥は外部の光やな匂いをたてはじめるのを嗅ぎつけた。バスはなかなか来なかった。暑かった。鳥の頭のなかの

　鳥もまた無気力に眼をつむり悪寒に震えながら汗を流していた。やがてかれは自分の体がいや

ぎる夏にぐったりうちのめされているのだ。

あがった大きい頭をゆっくりもとに戻した。誰もが、たちまちこの都市をうずめてしまった早す蚊のなくような声で悪態をついた。かれのすぐ前の老人がふりかえろうとして途中で止め、禿げろ寒さを感じた。バスを待っている人々の列の後尾について鳥は、アフリカか、お笑い種だ、とない。体じゅうの皮膚に汗粒をいっせいに吹きださせながら鳥は、唇や耳や指さきに湿っぽいう種類のロード・マップをのぞいてアフリカ旅行と直截につながるなにものも、もはや残されてい一種の気分的な標識にすぎなかった。しかしいま、標識はぬきとられようとしている。鳥には二旅行資金の最初の積み立て額として貯金しておいたものだ。いまのところその三万なにがしは、おののかせた。鳥は三万円とごく僅かの額の貯金をもっていた、しかしそれは鳥がアフリカへのべると、その瞬間だけ恥の感覚のかわりに、誰にたいしてというのでもない絶望的な憤りが鳥をえてみようとした。鳥はすでにそれをどこから捻出するかを定めていた。そしてそれを頭にうか

列を離れると、開いた眼を陽の光にやられて、ネガのように黒白を逆に広場の風景を見ながらタクシーを探した。鳥は火見子の真昼の光を遮ぎった部屋に戻ってゆくつもりだった。もし火見子が、おれを拒むとしたら、と鳥は自分を笞うつように苛いらと考えた、おれはあの女友達を殴りつけ失神させて性交しよう。

7

鳥が疲労に蒼ざめて話し終ると火見子は、嘆息まじりに、

「あなたがわたしと一緒に寝ようとする時は、本当にいつも最悪のコンディションね、鳥。いまのあなたは、わたしの会った、最低の鳥よ」といった。

鳥は頑固に黙っていた。

「それでも、わたしはあなたと寝るわ、鳥。あの人が自殺して以来、わたしにはモラルについての純潔趣味はないし、あなたがわたしと、いちばん厭らしい性交をするつもりだとしても、わたしの方では、その性交に、やはりなにか genuine なものを見つけることができるにちがいないから」

genuine、純種の、本物の、真正な、正銘の、誠実な、真面目な、真摯の、という風に、予備校の英語講師、鳥は訳語を頭にならべた。そしてかれは現在の自分がそれらのいかなる意味から

火見子は健康な強い呼吸をしながら鳥をしげしげと見おろし、なおタオルで脇腹や乳房のあいだを……

「突然、だめになったんだ、火見子、まったくだめだね」といった。

っぽく縮みこんだペニスを辱かしげに片掌でかこい、

しをおろし、バス・タオルで体をこすりつけながら鳥の傍へ戻ってきた。鳥はまったく萎えて黒

「じゃ、方法を考えましょう、鳥」そういいながら火見子は杭をうつような音をたてて床に水差

と悲しげな低い叫び声をあげた。棘は鳥の内臓までもぐりこみ燃えつづけた。

鳥のもっとも柔らかい内部に《妊娠》という言葉の燃えたつ棘が深くつきささった。鳥はあっ

「いや、準備してない」

のあたりまでとびちったしぶきを大きいタオルで熱心に拭いながら声をかけてきた。

「鳥。今日は妊娠する危険があるんだけど、準備してきた？」と体を洗いおわった火見子が、胸

想しながら暫く眺めていた。それからまた、自分の腹とペニスとをおとなしく見おろして待った。

にごしごし性器を洗っていた。鳥はそれを、外国人の男との性関係から得た智恵なのだろうと空

を開けはなしたまま洋風便器に逆の向きに腰をおろし、膝をぐっとひらいて大きい水差しを片手

と不充分に勃起している白っぽいペニスを見おろした。火見子は寝室と浴室とのさかいの硝子戸

かれは握りしめた両方の拳のうえに後頭部をのせ、伏し眼に、わずかながら脂肪のついてきた腹

鳥は汗じみたすべての衣類をのろのろととって、すりきれた毛布の上にあおむけに横たわった。

「先にベッドに入っていてね、鳥、体を洗うから」

も遠い、と考えた。

だをこすりつけ、鳥の言葉にかくされた意味を推測している風だった。鳥は火見子の体から、学生のころのさまざまな激しい夏の記憶を呼びおこす匂いをかぎ、息をつまらせた。水に濡れた皮膚が陽に灼かれてたてる匂い。火見子が柴犬の仔のように鼻に皺をよせて単純な乾いた笑い声をたてた。鳥は真赭になった。

「そういう気がするだけでしょう？ 鳥」とこともなげに火見子はいった。そしてバス・タオルを足もとに棄てると、小さな乳房を牙のようにつきだして鳥の体におおいかぶさってこようとしたので、鳥は子供じみて懸命な防禦本能の擒となった。鳥は片掌で性器をしっかりかくしたまま、もう片方の腕を火見子の腹にむかってまっすぐに伸した。かれの掌はぐにゃりと火見子の腹にめりこんで、鳥をぞっとさせた。

「いまきみがどなった、妊娠という言葉がいけなかったんだ」と鳥は早口に弁解した。

「どなりはしないわ」と憤慨した様子で火見子がさえぎった。

「ぼくには、したたか応えたのさ、妊娠という言葉はいけないよ」

素裸の火見子は鳥が自分のペニスを夢中でかくしているのに影響されたわけだろう、自分でも胸と下腹を両腕でおおった。かれらは全裸でたたかう古代のレスラーさながら、自分のもっとも弱い部分をまず第一に素手で防ぎ、しかもおたがいに眼を尖らせて相手の動静をうかがい一歩も退こうとしないのだった。

「どうしたのよ、鳥」としだいに事情の深刻さを理解してきた火見子が声をあらためていった。

「妊娠という言葉の毒に当ったんだ」

火見子は膝をそろえて鳥の腿の脇に腰をおろした。鳥は窮屈なベッドの上を腰をよじって逃れ、もっと広い場所を火見子のために空けた。火見子はそれまで乳房をおおいかくしていた腕をほどくと、その指を鳥が自分のペニスをかこっている掌に優しげにふれた。それから火見子は穏やかながらも重い確信をこめて鳥を鼓舞した。

「鳥、わたしがあなたを充分な硬さにしてあげられるわ。材木置場の時から、ずいぶん時間がたったのよ」

鳥は暗くじめじめした孤立無援の感情におちいって、自分の掌の上の火見子の指のくすぐったい運動を忍耐した。おれは自分のケースをうまく説明することができるだろうか？　と鳥は疑った。しかしとにかくかれは説明して難局をのりこえねばならない。

「技術の問題じゃないんだよ」と鳥はいった、そしてかれは火見子の生真面目でもの悲しい表情をたたえた乳房から眼をそむけた。「恐怖心の問題なのさ」

「恐怖心？」と火見子はそこになんとか冗談の芽をみつけだそうとしてあれこれ思いめぐらしているような様子でいった。

「あの奇怪な赤んぼうをつくりあげた深くて暗い奥まった場所が恐いわけだ」と鳥もまた冗談めかした気分をまじえようとして成功せず、ますます憂鬱になって説明した。「ぼくは頭に繃帯をまいた赤んぼうを見た時、アポリネールのことを考えたんだ。センチメンタルな話だが、赤んぼうがアポリネールのように戦場で戦って頭に傷をうけたという風に感じたんだ。ぼくの見知らない、暗く閉じられた穴ぼこでの孤独な戦闘でかれはやられたわけだ。（鳥はそういいながら、自分が救急車のなかで流した救済可能の甘い涙を思い出した。しかし今日、おれが病院の廊下で流した恥かしい涙は、それはもう救いようもない）ぼくの弱いペニスをその戦場へさしむけることはできないね」

「しかし、それは鳥夫人との間のことに限るのじゃない？　彼女が回復して、あなたと最初の性交渉をもつとき、あなたが感じるはずの恐しさじゃないの？」

「ぼくと妻とのあいだにそれがもういちどはじまるとして」と鳥は数週間先の困惑の時から早くも威圧されるのを感じながらいった。「その時には、この恐怖感に加えて、ぼくの赤んぼうとの近親相姦みたいな感情まで、ぼくを悩ますにちがいないね。それじゃ、鋼鉄製のペニスだってぐんにゃりするんじゃないか？」

「可哀想に、鳥。時間をあげれば、あなたは百ものコンプレクスを数えたてて、自分のイムポテンツを擁護するわ、鳥」

　火見子はそのように嘲弄すると、鳥の体の脇の狭い隙間にうつぶせに横たわった。鳥は、二人の重量を支えてハンモックのように窪んだベッドの上でますます体をちぢめながら、耳のすぐそばでくりかえされる火見子の抑制された呼吸音に脅かされていた。彼女が欲望のプラグをすでに発火させてしまっているなら、おれは彼女のためになにごとかをしなければならないだろう。しかしおれは、あの陰湿でわけのわからない複雑な襞の奥の、閉ざされた行きどまりの暗渠に、モグラの仔みたいに盲でもろいおれのペニスをもぐりこませることはできない。黙ったまま横たわっている火見子の耳たぶのはしが鳥の顳顬に熱くふれた。火見子はぐったり横たえた体を数千匹の欲望のアブに襲われているようだった。鳥は指か唇か舌で、火見子の欲望をなしくずしに解消させることを考えた。しかし昨夜すでに、火見子はそれをオナニイみたいで厭だといったのだった。いまそれを申し出ておなじ言葉で拒否されたとしたら、おれたちはおたがいに手ひどく軽蔑しあった気分になるだろう。不意に鳥は、もし火見子がサディクな趣味をもった女なら、なんとかうまくゆくだろうに、と考えた。すべての災厄が湧き出てきたあの穴ぼこと関わらなくていいなら、おれはどんなことだってしよう。殴りつけられ蹴られ踏んづけられても、おれは穏やかに忍耐するだろうし、彼女の尿を飲むことだってためらわないだろう。鳥はかれの生涯ではじめてマゾイスティクな自分を見出した。かれは恥かしさの感覚の底深い沼地に踏みこんだあとだったので、それら小っぽけな恥辱には自虐的な誘惑さえ感じた。このようにして人間はマゾイスムに傾斜するのだろう、と鳥は考えた。人間はというより、もっと率直に、おれはというべきかもしれない。やがて四十になったマゾイストのおれがマゾイスムに改宗した記念日として今日の一切を回顧することになるのかもしれない。鳥はきわめて自己中心的に退廃している妄想を追っていた。

「ねえ、鳥」

「ああ?」ついに攻撃がはじまったと観念して鳥は答えた。

「あなたは、自分でこしらえあげた性的な禁忌を、早く壊してしまわなければならないわ。そうしなければ、あなたの性的な世界は歪んでしまうわ」

「そうだよ、いまぼくはマゾイスムについて考えていたところなのさ」と探りをいれるように鳥はいった。陋劣にもかれは、火見子が、マゾイスムという言葉の疑似餌にとびつき、わたしはサディスムについて考えることがたびたびあるわ、というようなもの欲しげなことを、おなじく陋劣な探りの手をのばしながら答えることを期待していたわけだ。鳥には性倒錯志願者の棄て身の正直さすら欠けていた。まさにかれは恥かしさの感覚の毒のもたらした退廃の極にいた。

火見子は訝かしげに黙りこんだあと、鳥の言葉の謎を深追いはしないで、

「鳥、恐怖心を克服するためには、その対象を正確に限定して、恐怖心を孤立させなければならないわ」といった。

鳥はとっさに火見子の意図をつかまえることができなくて黙っていた。

「あなたが恐怖を感じるのは、局部的にヴァギナと子宮に対して？　それとも女性的なるものすべて、たとえばわたしという女の存在すべてに対して？」

「ヴァギナと子宮に対してだろうと思うよ」と鳥はちょっと考えてからいった。「きみという存在は、ぼくのおちこんだ災厄と直接関係ないのに、それでも、裸のきみの前でぼくが怯むのは、きみにヴァギナと子宮がそなわっているからで、それだけの理由だ」

「そうだとしたら、ヴァギナと子宮を排除するだけでいいわけじゃない？　鳥」と火見子は注意深く冷静にいった。「あなたが恐怖心の対象をヴァギナおよび子宮に限るなら、あなたの戦うべき敵はヴァギナと子宮の国にしか住んでいないわ、鳥。それで、あなたはヴァギナと子宮のどういう属性を恐れているの？」

「いま、いったようなことさ。その奥深くに、きみの好きな言葉を使うと、もうひとつ別の宇宙があるように感じられるんだ。暗黒やら無限やら、ありとある反・人間的なものがつまっている

奇怪な宇宙があるという気がするね。そこへ入ってゆくと別の次元の時間体系におちこんで、戻ってこれなくなりそうだから、ぼくの恐怖心には宇宙飛行家のもの凄い高所恐怖症に似たところがあるよ」

火見子の論理の先に自分の羞恥心を刺激するものを予感して、それをはぐらかそうと韜晦的なことをいっている鳥を火見子は直截に追撃した。

「ヴァギナおよび子宮を除外すれば、あなたは女性的な肉体に対してとくに恐怖心をもたないと思う？」

鳥はためらってから顔を赭くして、

「とくに重要じゃないが、乳房……」といった。

「もしあなたが、わたしに背後から近づくなら恐怖心をかきたてられないですむわけね」と火見子はいった。

「しかし……」と鳥は遮ぎろうとした。

「鳥」と火見子はかれの抗議をうけつけないでいった。「あなたは、弟の年齢の連中から好意をもたれるタイプだと思うんだけど、そういう男の子と一緒に寝たことはないの？」

それから火見子は鳥にかれの《性的なモラルについての純潔趣味》を破壊するに充分なプランを話した。鳥は衝撃をうけた。おれがそれをどのように感じるかは問題外とするにしても、と鳥は一瞬だけ自己執着からときはなたれて考えた。火見子は、おそらく相当な苦痛に耐えなければならないだろうし、体は裂けていくらかの血を流すだろう。おれたち二人とも汚物にまみれるかもしれない。しかし突然に鳥は、嫌悪感と縄のようによじりあわされた新しい欲望が湧きおこってくるのを感じた。

「後できみは屈辱的に感じるのじゃないか？」と鳥は、最後のためらいをしめして、欲望に嗄れた低い声でささやいた。

「あの冬の真夜中の材木置場で、血と泥と木屑とに汚れた時も、屈辱的には感じなかったわ」と火見子は鳥を力づけた。

「それで」と鳥はいった。「きみにも快楽はあるだろうか？」

「わたしはいま、あなたのためになにかひとつのことをしてあげたいと思っているだけよ、鳥」と火見子は反撥したが、それで鳥が気まずい思いをするのをふせごうとするようにとめどなく優しくこうつけくわえた。「だけど、ほら、わたしは、どんな性交にも、なにかしら genuine なものをみつけだすことができる、といったでしょう？」

鳥は黙りこんだ。それから鳥は火見子が化粧台の上の小瓶の群からなにかひとつ選びだしたり、浴室へ入ったり、押入れから新しい大きなタオルをとりだしてきたりするのを眺めてじっと横たわっていた。不安の汐がゆっくり満ちてきてその鳥をのみこもうとした。鳥はやにわに上体をおこすとベッド脇にころがったままだったウイスキーをとりあげて瓶からじかにひとくち飲んだ。おれは病院前広場の日盛りのバス停留所で、最も汚辱にみちた最悪の性交をねがっていた、と鳥は考えた。そして今、それが可能だ。鳥はウイスキーをもうひとくち飲み再びベッドに体を倒した。ペニスは鋭く硬くなり、熱く脈うっていた。火見子は鳥の顔から眼をそむけ憂わしげな重い表情をしてベッドに戻ってきた。火見子もまたなにか特別な欲望にとりつかれているのか？　と鳥は考えた。薄笑いが自分の唇から頬にひろがるのを鳥は満足に感じた。おれは最初に最大の恥かしさの感覚の垣をこえたのだ、おれはもう無限時間のハードル競走させながら、どんどん恥かしさの感覚のハードルを跳びこえつづけて行くのだろう。しかしその鳥に、かれの自意識とは裏腹の兆候を見出して、

「不安がることはないのよ、おそらくたいしたことじゃないわ、鳥」と火見子はいった。

……はじめ鳥は火見子のことを気づかっていた。しかし度たび失敗をくりかえすうち鳥は滑稽な小さな音とおかしな匂いに嘲弄されているような気がして反撥し、しだいにエゴイスティクな自己執着よりほかになにも感じなくなった。鳥はやがて火見子のことを忘れ、自分が成功したのを感じると、たちまちせわしげに熱中した。鳥の頭に、おれはあのぐにゃぐにゃした乳房も、獣じみて荒あらしい性器も嫌っていた、それにおれは自分だけの孤独なオルガスムが欲しかったのだし、性交している自分の顔を女の眼に見かえされたくもなかったのだ、というような切れぎれの短い発想がつづけざまにひらめいた。それが快楽の前ぶれだった。女のオルガスムに気をつかい、妊娠後の責任を登録しながら性交する、それはわざわざ自分に頸かせをかけるべく裸の尻をふりたてて奮闘することだ。おれはいま女をもっとも汚辱にみちたやりかたで蹂躙しているのだ、と燃える頭の奥で鳥は鬨の声をあげた。おれは、ありとある最も卑劣なことをやってのけられる人間だ。おれは恥のかたまりだ、おれのペニスがいまふれている熱いかたまりこそがおれだ、と鳥は考え、そして眼も昏むほど激甚なオルガスムにおそわれた。

鳥が快楽に痙攣するたびに火見子は鋭い苦痛の悲鳴をあげた。鳥はなかば失神しながら、それを聞いた。そして突然、鳥は憎悪にたえないとでもいうように、火見子の肩のつけねを嚙んだ。火見子が新しく強い悲鳴をあげた。鳥は眼をみひらき、貧血した火見子の耳たぶから頰へひとつぶの血のしずくが、みずみずしくしたたりおちてゆくのを見た。鳥はもういちど呻いた。

オルガスムが過ぎさったとき、鳥は自分が火見子に本当に最悪のことをしてしまったと感じ、化石したような気分だった。これほどにも非人間的に結びついたあと再び火見子と自分とのあいだに、人間的な関係が回復しうるだろうか？　と鳥は疑った。鳥はじっと体をうつぶせて荒い息をつきこのまま消滅してしまいたいと考えた。ところがその鳥に日常的な静謐にみちた穏やかな声で、火見子がささやきかけてくれたのだった。

「鳥、そのまま手をふれないで浴室にきてちょうだい、わたしが、すっかりすませてあげるから」

鳥は深い驚きとともに救助され、解放された。火見子は、顔を赭らめて脇をむいている鳥を半身不随の患者のようにあつかった。驚きはしだいに鳥の内部に沈みこみ定着した。確かにかれは性のエキスパートにめぐりあったのだった。あの冬の真夜中から、かれの女友達は、どのように遠い道を歩いたことだろう。鳥がいくらかなりと火見子の努力にむくいたのは、かれ自身の歯がつくった火見子の肩の傷を消毒液で洗ってやったことだけだった。鳥はとびとびについている三つの傷を小心な子供のようにぎこちなく洗った。やがて火見子の頰や瞼に血色がしずかに回復した。鳥は安堵した。

シーツをとりかえたベッドに肩をならべあって鳥と女友達は再び横たわった。かれらはそろっなおだやかに呼吸していた。鳥には火見子の沈黙が気にかかったが、それでも彼女のおだやかな呼吸と、薄暗い宙を見つめている優しくしずまった眼ざしが鳥を慰めた。それに鳥自身、底深い平安の感情にひたされていて心理的な穿鑿趣味から遠いのだった。鳥は感謝の念のうちにあった。とくに火見子に対する感謝と狭く限るよりも、鳥をめぐる苛酷な罠だらけの渦巻のさなかに、かれが見出すことのできた、決して永つづきはしないであろう、この平安に対する感謝。もちろん鳥を閉じこめている恥かしさの感覚の環はいまもひろがりつつあったし、いま現に遠方の特児室では恥辱のしるしがきざまれているのだった。しかし、鳥はあたたかい平安のうちに横たわっていた。それから鳥は自分の内部で障害が克服され過ぎさったことに気づいた。

「もういちど今度は正常にしようか？　ぼくは恐怖感を追いはらえたらしいよ」と鳥はいった。

「ありがとう、鳥、もし睡眠薬が必要なら、それをのんで、真夜中まで眠りましょう。そのあとで、まだ、恐怖心から自由だったら」

鳥は同意し、現在の自分には睡眠薬の必要がないと感じた。

「きみはぼくを慰めるね」と鳥は素直にいった。

「そうよ、鳥。あなたは、今度のことがはじまってから、まだ誰にも慰められていなかったのじゃない？　それはよくないわ、鳥。こういう時、いちどは過度なくらいに慰められておかないと勇猛心をふるいおこして混沌から脱け出さねばならない時に、ぬけがらになってしまっているわ」

「勇猛心？」と鳥はその意味をとくに考えてもみないでいった。「ぼくはいつ、勇猛心をふるいおこさなければならないんだ？」

「あなたは当然、勇猛心をふるいおこさねばならないわ、鳥、これから、たびたび」と火見子がさりげなく生真面目な威厳をこめていった。

鳥はあらためて火見子を、かれとは比較を絶して長く経験をつんできた、日常生活の古強者という風に感じた。火見子は性的なエキスパートであるのみならず、この現実世界のきわめて様ざまな側面でのエキスパートなのにちがいない。鳥は自分が火見子に影響されはじめているのを認めた。現にかれはいま火見子の救援によって、ひとつの恐怖感をのりこえたところだった。鳥は性交のあとこのようにナイーヴな気持で女と話しあったことが、かつてあっただろうか、と考えた。性交のあと、かれの妻との交渉をふくめて、鳥はつねに自己憐憫と嫌悪感の擒となったものだった。鳥はそれについて火見子に話した。もっとも自分の妻については直接ふれなかったのだが。

「自己憐憫、嫌悪感？　鳥、あなたは性的に充分には成熟していなかったのじゃない？　あなたと一緒に寝た女たちもまた、自己憐憫と嫌悪感とをもったかもしれないわ。結局、それはすっきりした良い性交じゃなかったのね、鳥」

鳥は羨望と嫉妬とを感じた。深夜に、窓の外で火見子を呼んでいた少年と卵のお化けみたいな小柄な紳士とはともに、火見子とのすっきりした良い性交を楽しんだのにちがいない、と鳥は思ったのだった。そこで鳥が黙りこんでいると、火見子はやはりさりげなく、しかしあきらかに不機嫌なものをしのばせて、こういった。

「他の人間と性的な交渉をもって、そのあとで自己憐憫におちいる人間ほど傲慢なつまらない人間はないわ、鳥。嫌悪感なら、まだましだけど」

「そうだ、しかし性交のあとで自己憐憫におちいるやつは、たいてい、きみのような性のエキスパートに救助されるチャンスがなくて、自信をなくしているんだ」と鳥はいった。

鳥は精神分析医の前の長椅子に寝そべっているような気分で主治医火見子に臆面もなく甘ったれた饒舌をはきつづけたあと、眠りこもうとしながら、このような黄金の女を妻としていた青年が、なぜ自殺したのだろう、と怪訝な思いで考えた。眠りのヴィールスにおかされて鈍く空虚になった頭、なまぬるい湯がつまっているみたいな鳥の頭に、火見子は死んだ青年への償いを、鳥や少年や卵型の頭の紳士にたいして果しているのではないか？　という着想がうかんだ。青年はこの部屋で、しかも、このベッドを踏台にして縊死したのだった、現在、そこに横たわっている鳥とおなじく素裸で。あの日、火見子から電話で呼ばれた鳥は、肉屋が巨大な冷蔵庫のなかの霜のついた頑丈な鉤から屠殺された牛の片身を降ろすような具合に、梁にわたしたロープの輪から死んだ青年を床に降ろす手伝いをした。眠りの冒頭の淡い夢のなかで、鳥は死んだ青年と自分とを同一視していた。かれは眼ざめている部分で、汗に濡れた体中の皮膚をぬぐってくれている火見子の手を感じながら、夢では死んだ青年を浄めている火見子のヒラヒラする手の動きを自分の体の上に認めているのだった。おれは死んだ青年だ、これから本格的にはじまる夏など、たやすくしのげるぞ、と鳥は考えた。死んだ青年は自分の体そのものが冬の樹のように冷たいのだから！それから鳥は夢の外へ逆戻りし身震いしながら、しかしおれは自殺しないぞ、とつぶやくと、もっと濃くもっと深い眠りの暗黒に沈みこんでいった。

……眼ざめるまえ鳥は眠りにはいる際の無邪気な夢とうらはらに、苦しみを誘うイガでびっしり鎧われた辛い夢のなかにいた。かれの眠りは漏斗状だ、広く容易な入口から眠りにはいり、狭く困難な出口から眠りと別れなければならない。鳥の体は薄明の無限空間をツェッペリン飛行船のように脹れあがってゆっくり移動していた。鳥は暗がりの向うの審問官たちに召喚されたのだ。そして鳥はどのようにして審問官たちの眼をかすめ赤んぼうの死の責任をまぬがれようかと苦慮していた。鳥は、結局自分が審問官たちの眼をまぬがれえないだろうことを感じているのだが、それと同時に、あれは病院の連中がやったのだと、審問官たちに上告したいと感じてもいる。どうにかおれは、処罰をまぬがれえないだろうか？ そこで鳥はますます卑劣に苦しみながら小っぽけなツェッペリン飛行船さながら漂いつづける。

鳥は眼ざめた。鳥とはすっかり体の構造のちがった獣の巣のようなベッドのなかで、かれの筋肉という筋肉はすべてこりかたまっていた。かれは幾層ものギプスで全身をおおいつくしている気分だ。おれはいったいどこにいるんだろう、こんな大切な時に！ と鳥は意識があいまいな霧の奥から姿をあらわしきらないうちに警戒心のツノだけ鋭くつきだしてつぶやいた。こんな大切な時、怪物みたいな赤んぼうと格闘している時。それから鳥は病院の特児室で医者ととりかわした会話を思いだした。危険の感覚が、恥かしさの感覚におきかわった。しかし危険の感覚がすっかり消えうせたわけではない。それは恥かしさの感覚の裏側に固着していた。鳥はもういちど、「おれはいったいどこにいるんだろう、こんな大変な時に！」と声を高めていい、その声が恐怖感の酢におかされているのをみずから聴きとった。それから鳥は発作におそわれたように頭をふりたて、かれを囲む暗闇の罠の正体をかぎつけようとして、たちまち震撼された。かれはまったく無防禦にも素裸だったし、おまけに、かれによりそっておなじく素裸の人間が寝ていた。妻か？　あの奇怪な赤んぼうの秘密もまだうちあけていない、出産したばかりの妻と裸で一緒に寝ているのか？　ああ、なんということだろう！　鳥はおそるおそる手をのばして裸の女の頭に指をふれた。それから鳥がもう一方の手を裸の女の肩から脇腹へさしのべた時（大柄で豊かで動物的に柔軟な体、それはかれの妻の属性とおよそ逆だ）裸の女はゆっくりと、しかし確実に、鳥の体に全身をからみつかせてきた。鳥の意識はすっかり明瞭になった、かれは情人を見出し、すでに女性的なるものを禁忌としないかれ自身の欲望を見出した。鳥はもう腕や肩の痛みを気にかけようとはしないで、熊が敵を抱きかかえるように火見子を抱きかかえた。なお眠ったままの火見子は大きく重かった。鳥は両腕にゆっくり力をこめた。火見子の上体が鳥の胸と腹におしつけられると、火見子の頭はかれの腕の上であおむき背後にのけぞった。鳥はその顔を深ぶかと覗きこんだ。暗闇に白っぽく浮びあがってくる火見子の顔は痛ましいほどにも稚なく感じられた。やがて不意に火見子は眼ざめ鳥にほほえみかけ、わずかに頭をうごかして鳥に熱く乾いた唇をふれた。かれらはそのままなめらかに性行為へと移行した。

「鳥、わたしのオルガスムのあいだ、忍耐できる？」とまだ眠っている声で火見子がいった。火見子は妊娠の危険にそなえたわけだった、彼女は自分の性的な瞬間にむかってすでに後退不能の一歩を踏みだしていた。

「ああ」と鳥は、嵐の接近を報告された航海長さながら雄々しく緊張して答えた。そして警戒しながらも鳥は、体の運動に抑制の気配をまぎれこますまいとつとめた。いま鳥はあの冬の真夜中の材木置場の惨めな性交を償いたいと思っていた。

「鳥！」と火見子が暗闇のなかにぐっともたげた稚ない顔にふさわしい、あわれげな叫び声をあげた。鳥は火見子がその性交に彼女独自の genuine なものを把握する数秒間、僚友の戦闘につきしたがっているもうひとりの戦士のように、ストイックに自己抑制して立ちあった。性的な瞬間のあと火見子は、じつに永いあいだ体じゅうでおののいていた。そして限りなく女性的にやわらかく頼りなく繊細になり、やがて満腹した動物の仔のように含み声で嘆息をもらすとそのまま眠りこんでしまった。鳥は雛をまもっている牝鶏のような気持だった。かれは自分の胸のしたになかばかくれている火見子の頭からたちのぼる健康な汗の匂いをかぎながら、彼女を圧迫しないようにじっと自分の体の重みを肱で支えていた。欲望は昂揚しきっていたが、鳥は火見子の自然な睡りをさまたげたくなかった。かれは数時間前かれの頭を占拠していた女性的なものへの呪詛をすべて放棄し最も女性的な現在の火見子をすべて許容しているのだった。そしてそれをかれの鋭敏な性的パートナーは感じとっていた。鳥はやがて火見子のたてる安定した寝息を聞きつけた。注意深く自分の体をひき離そうとして、鳥は自分のペニスに、おだやかにあたたかい握手のような感じを受けとった。火見子が眠りながらちょっとした引きとめ策をこころみたわけだった。鳥は微細ではあるが純粋に性的な満足をあじわった。鳥は愉しげに微笑し、すぐさま眠りこんだ。

鳥は眠った。眠りは再び漏斗状だった。かれは微笑とともに眠りの海へ入っていったが、現実の陸地へと戻るまぎわには、また、息苦しい閉塞感のある夢が鳥をしっかりとらえていた。鳥は涙をうかべて夢から逃れた。鳥が眼ざめた時、火見子もまた眼ざめていて不安げにかれの涙を覗きこんでいるのだった。

8

鳥が、片手に靴を提げ、片手に五個のグレープ・フルーツをいれた紙袋を抱えて、妻の病室のある二階へ上ってゆくと、若い義眼の医者が降りてくるところだった。かれらは階段の半ばで出会った。鳥はかれより数段高みに立ちどまってのしかかるようにして話しかける義眼の医者から底深い威圧感をうけとった。しかし、医者は、どうでした？　といっただけなのだった。

「生きています」と鳥はこたえた。

「それで、手術を？」

「手術が可能になるまでに、衰弱して死ぬのではないかということですが」と鳥は、あおむいている顔が紅潮するのを感じながらいった。

「それは、よかったですね」と義眼の医者はいった。

鳥は、ますます顔を赭らめ唇のはしを痙攣させた。鳥の端的な反応が、医者をもまた赤面させた。かれは眼をそらすと鳥の頭上をまっすぐ見つめてしゃべった。

「奥さんには新生児の脳のことはいってありませんよ、内臓が悪いということにしてあります。もっとも脳も内臓にはちがいないのだから、嘘じゃない。まるっきりの嘘で急場をしのぐと、その嘘が露見したときに、また、もうひとつの嘘をつかなくてはならなくなるから！」

「はあ」と鳥はいった。

「じゃ、また。なにかあれば、御遠慮なく」

鳥と義眼の医者は礼儀正しく頭をさげあって顔をそむけお互いの脇をとおりぬけた。それは、よかったですね！ と鳥は医者の挨拶を反芻した。手術が可能になるまでに、衰弱して死ぬ。すなわち、手術後の植物的赤んぼうをかかえこむことをまぬがれ、といって、自分の手を汚して赤んぼうを殺すこともまぬがれ、ただ、赤んぼうが近代的な病室で清潔に衰弱死するのを待っている。しかも、そのあいだ赤んぼうのことを忘れていることだって不可能ではない、それが鳥の仕事だ。それは、よかったですね！ 深く暗い恥かしさの感覚がよみがえってかれに体が硬ばるような気持を味わわせた。かれと行きかう、色とりどりの合成繊維の夜着を着こんだ妊婦や、出産したばかりの女たち、すなわち腹のなかにうごめく大きいかたまりをもっている連中と、その記憶や習慣からなお逃れきれない連中とおなじく、鳥は狭い歩幅でゆっくり歩いた。鳥もまた、頭のなかの子宮に、恥かしさの感覚のうごめく大きいかたまりを妊んでいる。鳥とすれちがう女たちは意味もなく傲然と鳥を見やり、鳥はそのたびごとに気弱くうつむいた。救急車で出発する鳥と奇怪な赤んぼうを、天使の群さながらの恰好で見おくった女たち。彼女たちはあれ以後の鳥の息子の経過のすべてを知りつくしているのかもしれないという妄想が、鳥を一触した。そして彼女たちは腹話術師みたいに喉の奥でこうささやいているのかもしれない、ああ、あの赤んぼうは、いま能率的なコンベアシステムの嬰児殺戮工場に収容されて穏やかに衰弱死しつつあるわけね、それは、よかったですね！

数かずの赤んぼうの泣き声がツムジ風のように鳥をおそった。あわただしくまわりをうかがった鳥の眼は新生児室に並んだ寝籠のなかの赤んぼうたちに出くわした。鳥は小走りにそこを逃れた。数人の赤んぼうたちが鳥を見つめかえしたような気がした。

妻の病室のドアのまえで鳥は、自分の掌や腕や肩、それに胸のあたりを、熱心にかいだ。もし、病床で嗅覚をとぎすまして待ちうけている妻が火見子の匂いをそこにかぎつけたとすれば、鳥のおちこむごたごたは、いったいどんな複雑さになることだろう？　鳥が逃げ道を確かめておくような具合にふりかえると、夜着の若い女たちが、薄暗い廊下の隅々にたたずみその薄暗さに抵抗してもっとよく見ようと眉をひそめて鳥を見やっているのだった。鳥はしかめっ面をしてみせてやりたいと考えたが、ただ弱よわしく頭をふっただけで女たちに背をむけるとおずおずとドアを叩いた。鳥は突然の不運にみまわれた若年の夫を演じているわけだった。

鳥が、病室に入ってゆくと、盛んに茂った青葉の窓を背にして立っている義母も、立てた両膝をおおう毛布のたかまりの向うから鼬のように頭をもたげてこちらを窺っている妻も、青みをおびて輝く豊かな光のなかで脅かされたような表情をしていた。この二人の女たちは驚いたり悲しんだりするとき、その顔かたちや身ぶりのすみずみにまで、血のつながりを濃く、くっきりときわだたせる、と鳥は考えた。

「驚かせてすみませんでした、ノックしたんですが、ごく軽くだったので」

そのように義母に弁解して、妻のベッドの裾に近づいてゆく鳥を、

「ああ、鳥（バード）」と嘆息するようにいいながら、かれの妻はみるみる涙の浮んでくる衰弱した眼で見つめた。いま、かれの妻はいささかも化粧していない地肌に黒っぽく色素を浮きあがらせていて、数年前、鳥がはじめて会った時分の硬式テニス選手の彼女のように堅固でボーイッシュな感じだった。鳥は妻の視線にさらされた自分をひどく無防備に感じて、グレープ・フルーツの袋を毛布の端にのせると、かくれるように屈みこんでベッド脇に靴をしまった。そして、このまま蟹のようにゴソゴソ這いずりまわりながら話せるといいんだがと怨めしげに考えてみたあと鳥はむりやり微笑をうかべて体を起こした。

「やあ」と鳥は歌うように気軽な調子をつくっていった。「もう痛みはすっかりとれたかい?」

「まだ、周期的に痛むわ。痙攣するみたいな収縮が、時をおいておこるのよ。痛まないあいだも、なんだか気持が悪いし、笑うとたちまち痛むわ」

「最低だね」

「ああ、最低よ、鳥」とかれの妻はいった。「赤ちゃんは、どんな具合?」

「どんな具合といって、あの義眼の医者が、説明しただろう?」と鳥はやはり歌うような調子をまもりぬこうとしながら、トレーナーをちらりと見かえる自信のないボクサーみたいに、義母へ視線を走らせた。

　義母はかれの妻の頭の向う、ベッドと窓のあいだの狭い隙間に立って鳥に秘密の信号をおくろうと大童だった。鳥には信号の細目はわからなかった。ただ、かれの妻になにもいうなと念を押していることだけが、確実だ。

「赤ちゃん、どうしたのかねえ」といかにも自己閉鎖的に、ひとりぼっちな気分の声で妻はいった。鳥は疑心暗鬼にとらえられた妻が、もう数百回も、おなじ言葉を、おなじ調子で、孤立無援につぶやいてきたのだということをさとった。

「内臓が悪いんだよ。もっとも医者がこまかいところを説明してくれないのさ。まだ検討中なんだろう。それに大学の付属病院という所はじつに官僚的だから」と鳥は自分の嘘が悪い匂いをたてるのをかぎつけながらいった。

「そんなに注意深い検査が必要なのだとしたら心臓だと思うのよ。だけど、なぜ心臓が悪いのかなあ？」と妻は途方にくれたようにいって鳥を再びゴソゴソ這いまわりたい気分にした。

そこで鳥はわざわざ憤りっぽいハイ・ティーンみたいな口調で、妻と義母に、

「専門家が調査してくれているんだから、いまの所はかれらにまかせておきましょう。ぼくらが根拠のない空想にはげんだところで、どうしようもない！」と荒あらしいことをいった。

そして自信のない鳥がうしろめたい視線をベッドに戻すと、妻は、じっと眼をつぶっているのだった。鳥は瞼の肉がおとろえ、小鼻が隆起し、そして唇が不つりあいに大きく感じられる妻の顔を見おろして、それが再び日常的な均衡の感覚をとり戻すことはあるだろうかと不安に思った。妻は眼をつむったまま身じろぎもせず、そのまま眠りこんでゆくみたいだった。それから不意に、閉じられた瞼からじつに大量の涙が湧きこぼれた。

「赤ちゃんが生れた瞬間、わたしは看護婦さんが、あっ！　と叫ぶのを聞いたのよ。だから、なにか異常があったのだとは思ったわ。けれども、つぎに院長先生が、嬉しそうに笑っていられるよ

うだったりして現実のことか夢なのかはっきりしなくなったわ。麻酔からさめた時には、もう赤んぼうは救急車で出発していたし」と妻は眼をつむったまま話した。

あの毛だらけの院長が！　と鳥は怒りに喉をつまらせて考えた。あいつは麻酔をうけている患者の耳にとどくほどにも大騒ぎでクスクス笑いしたのだ、それがびっくりしたときのあいつの癖なら、おれは暗闇に棍棒をさげて待伏せ、あいつにもっとけたたましいクスクス笑いをさせてやることにしよう。しかし、それは子供っぽいその場限りの憤激にすぎなかった。鳥は自分がいかなる棍棒も手にいれず、いかなる暗闇にも待伏せしないことを知っていた。鳥は自分が他人を糾弾するために基本的に必要な自恃をうしなっていることを認めざるをえない。

「グレープ・フルーツをもってきたよ」と鳥は許しをもとめるようにいった。

「なぜ、グレープ・フルーツを？」と妻がいどみかかった。そこで、鳥はたちまち自分の失策に気づいた。

「ああ、そうだった、きみはグレープ・フルーツの匂いが嫌いだった」と鳥は自己嫌悪におちいっていった。「どうしてまた、ぼくは、わざわざグレープ・フルーツを買ってきたんだろう？」

「あなたはわたしのことも赤んぼうのことも、本気になって考えたことはないのじゃない？　鳥。あなたが本気になって考えるのは、自分自身についてだけなのじゃない？　わたしたちは結婚式のデザートを定めるときに、グレープ・フルーツの問題で喧嘩をしたのに、それを忘れたの？」

鳥は無力感におそわれて頭をふった。それから鳥はしだいにヒステリックに緊張してくる妻の眼から逃れ、妻の枕元の狭い隅にはいりこんで、なお秘密の信号をおくろうとしている義母を見つめた。鳥は憐れっぽく義母に救助をもとめた。

「食料品店で果物を選ぼうとして、グレープ・フルーツが、ぼくらにとって、なにか特別なものだと感じたんですよ。そしてそれがどういう風に特別なものだったかは考えないで買ってしまったんです。このグレープ・フルーツどうしましょう？」

鳥は食料品店に火見子と二人で入って行ったのだった。したがって鳥の感じたなにか特別なものには火見子の存在が影をおとしていたにちがいない。おれの生活の細部に火見子の影はこれからますます濃くなるだろう、と鳥は考えた。

「グレープ・フルーツが一個、部屋にあるだけで、わたしはその匂いに苛いらするわ」と妻は鳥を追求しつづけた。鳥は妻が早くも火見子の影をかぎつけたのではないかと不安に思った。

「それじゃ看護婦さんたちの詰所に届けてきてください」と義母が鳥に新しい信号をおくりながらいった。背後の窓いっぱいの青葉の茂りをつらぬく光をうけて、義母の深く窪んだ眼や、そぎたっている鼻梁の脇には緑色の暈がたゆたっていた。やっと鳥はそのラジウムのお化けみたいな義母が、グレープ・フルーツをもって看護婦詰所に行ったかえりに廊下で待っているようにと信号しているのを読みとった。

「行ってきましょう、それで看護婦詰所は階下でしょうか？」

「外来患者の待合所のとなりです」と義母は鳥を見つめていった。

鳥はグレープ・フルーツの袋を抱えて暗い廊下に出て行った。歩いているうちに早くもそれは匂いたてはじめ、鳥の胸や顔を、香りの微粒子でそめたててしまうようだった。グレープ・フルーツの匂いをかぐと喘息になるというやつがいるにちがいない、と鳥は考えた。それから、ベッドに横たわって苛だっている妻も、歌舞伎の所作事の振りみたいな信号をおくる、眼の窪みに緑の暈をつけた義母も、グレープ・フルーツと喘息の関係について考えてみる自分も、誰もかれもみな、やることがお芝居じみている、と思った。お芝居だ、お芝居だ、ミルクのかわりに砂糖水をあたえられてしだいに衰弱してゆく、頭に瘤をつけた赤んぼうだけが、お芝居ではない。それにしてもなぜ、唯の水でなく砂糖水なんだろう？　ミルクをあたえないのならば、そのにせものにどのような味をつけようとますます卑しげなトリックじみてくるだけではないか？　鳥は非番の看護婦たちにグレープ・フルーツの袋をわたして挨拶しようとしたが、小学生の時分の吃りの習慣が戻ったように突然、一語も発せないのだった。鳥は狼狽して黙ったまま頭をさげると急ぎ足にひきかえした。背後に看護婦たちの陽気な笑い声が起こった。お芝居だ、お芝居だ、なにもかもお芝居じみて、本当らしくない、それはなぜだろう？　鳥は顔を歪め息をつめて階段を三段ずつ昇り、不用意に新生児室を覗きこまないよう警戒してその前を通りすぎた。

薬罐を提げた義母が、入院患者の家族や付添人が共同使用する炊事室の前に、いかにも昂然と上体をしっかり支えて佇んでいた。鳥は義母に近づいてゆき、義母の眼のあたりにいま、青葉の照りかえしの暈のかわりに、あまりにもみすぼらしい空虚の感覚があるのを見てぎくりとした。そこで鳥は義母が昂然としているというより、体の自然な柔軟さをうしなうまでに疲労し絶望しているのだと気づいた。鳥と義母は五米向うの妻の病室のドアを見はりながら手みじかに応答した。まだ赤んぼうが死んでいないことを確かめると義母は鳥を咎めて、

「早く処置してもらえないのでしょうか？　もし、あの子が赤ちゃんを見ることになったとしたらあの子は発狂します」といった。

鳥は威嚇されて黙っていた。

「親戚に医者があれば便宜をはかってもらえるのに！」と孤独な嘆息とともに義母はいった。

おれたちは賤民の同盟だ、いやらしい自己防衛者のリーグだ、と鳥は考えた。しかし鳥は声をひそめると、廊下の両側の閉じられたドアのひとつひとつに好奇心に燃える耳をおしつけて病人たちの唖蟬がとまっているかもしれないと警戒しながら報告した。

「あたえるミルクの量をすくなくしたり、ミルクのかわりに砂糖水をやったりしてもらっています。ここ数日のあいだに結果があらわれるだろうと担当の医者はいっていました」

そのとき鳥は義母の体をめぐっていた瘴気のごときものがすっかり消えうせてしまうのを見た。水をたたえた薬罐はすでに義母の腕に重すぎる錘りのようだった。義母はゆっくりうなずき、眠りこみたがっているとでもいうように頼りなく細い声で、

「ああ、そうですか、そうですか」といった。「なにもかもがすんだあと、赤ちゃんの異常のことはわたしたちだけの秘密にしましょう」

「ええ」と鳥は、義父にはもうそれを話したことにふれないで約束した。

「そうしなければ、あの子は二度と、赤ちゃんを生みませんよ、鳥」

鳥はうなずいたが、義母へのほとんど生理的な反撥はたかまるばかりだった。義母は炊事室に入ってゆき、鳥ひとりだけ先に妻の病室に戻った。このように単純な策略を妻は見破らないだろ

うか？　なにもかもが、お芝居めいている、しかも登場人物たちがみんな欺瞞の台詞しかしゃべらないお芝居だ、と鳥は考えた。

鳥が近づくと、妻はグレープ・フルーツをめぐるヒステリーを忘れた表情でかれを迎えた。鳥は妻のベッドの端に腰をおろした。

「すっかりやつれてしまったわね」と妻は唐突に愛しげな感情をこめた掌をのばして鳥の頰に触れていった。

「ああ」

「みすぼらしいドブ鼠みたいね、鳥」と妻は油断した鳥を不意打ちした。「こそこそと穴ぼこへ逃げこみたがっているドブ鼠に似てきたわ、鳥」

「そうかい、ぼくは逃げこみたがっている鼠みたいか」とにがい気持で鳥はいった。

「お母様は、あなたが、もういちど飲みはじめるのじゃないかと心配しているわ、鳥。あなた流の際限もない飲み方で、昼も夜も、いつまでも」

鳥は、昼夜しじゅう酔っぱらっている感覚、火照った頭と乾いた喉、疼く胃、重い体、無感覚な指、アルコールを吸いこんで弛緩した脳の感覚を思いだした。ウイスキーの壁に閉ざされた数週間の穴ぐら生活。

「もし、あなたがもういちど飲みはじめたなら、わたしたちの赤んぼうが、あなたを必要としているときに、あなたは酔いつぶれていて正体がないということになるわ、鳥」

「ぼくはもうああいう具合に飲みつづけることはないよ」と鳥はいった。

確かにかれは、もの凄い二日酔の虎に喰いつかれて失敗したけれども、ともかくそこから新しいアルコールの援助なしで脱出したのだった。しかし、もし火見子が救助してくれなかったとしたらどうだったろう？　かれは再び数十時間もつづく暗く苦しい漂流をはじめてしまったのではないか？　そこで火見子のことを口にだせない鳥としては、ウイスキーの誘惑へのかれの抵抗力について、妻と義母を説得することがむつかしいわけだった。

「本当に、大丈夫であってほしいわ、鳥。わたしには、とても大切な時に、あなたが酔っぱらうか、おかしな夢にとりつかれるかして、ほんとの鳥みたいに、ふらふら飛び立っていってしまいそうに思えることがあるのよ」

「結婚してもうずいぶんになるのに、まだきみは自分の夫にそういう不安をもっていたのか？」と鳥は冗談めかして優しくいったが、かれの妻はその甘ったるい罠にのってこなかったのみか、こういって鳥を揺さぶったのである。

「あなたは、たびたび、アフリカへ出発する夢を見てスワヒリ語で叫ぶのよ。そのことをわたしはずっと黙っていたけど、あなたは自分の妻や子供と一緒に地道な生活をすることを本当には望んでいないわ、鳥」

鳥はかれの膝の上に置かれている痩せほそって汚ならしい妻の左掌を見つめて黙っていた。それから鳥は自分がいたずらをしたことを認めながらも、叱られることには無力な抗議をしてみる子供のように、

「スワヒリ語というけど、いったいどんなスワヒリ語を叫ぶ？」といった。

「おぼえていないわ、わたしも半分、眠っているし、それにわたしはスワヒリ語をしらないから」

「それで、なぜ、ぼくが叫びたてる言葉が、スワヒリ語だとわかるんだ？」

「あんなに獣の叫び声じみた言葉が、文明的な人間の言葉である筈はないわ」

鳥はスワヒリ語の成立についての妻の誤解を悲しげに考えてみながら黙っていた。

「おとといと、昨日の夜、あなたが向うの病院に泊りこんでいるとお母様がいったとき、わたしはあなたがすっかり酔っぱらっているか、どこかへ逃げてしまっているか、どちらかじゃないかと、疑ったわ、鳥」

「ぼくにそういうことを考えてみる余裕はなかったよ」

「ほら、すっかり赭くなったじゃない？」

「腹をたてたからさ」と鳥は声をはげましていった。「なぜ、ぼくがどこかへ逃げだしてしまうんだい？　赤んぼうが生れたばかりなのに」

「あなたは、わたしが妊娠したことを知らせた時、いろんな強迫観念のアリの大群にまつわりつかれたじゃない？　あなたは本当に赤んぼうを望んでいたの？」

「ともかくそういうことはみな、赤んぼうが回復してからのことさ。そうじゃないか？」と鳥は窮地をぬけだすべく試みた。

「そうよ、鳥。そして赤んぼうが回復するかどうかは、あなたが選んだ病院とあなたの努力にかかっているのよ。わたしはベッドから離れられないし、赤んぼうの病気がいったい内臓のどこに巣くっているのかさえ知らされてないのだから。わたしはあなたを信頼するほかないわ、鳥」

「ああ、信頼してもらうことにしよう」

「赤んぼうのことで、あなたを信頼していいのかどうかを考えていてわたしはあなたを、知りつくしていないと思いはじめたのよ。あなたは自分を犠牲にしても赤んぼうのために責任をとってくれるタイプ？」と妻はいった。「ねえ、鳥、あなたは、責任を重んじる、勇敢なタイプ？」

おれが戦争に行ったことのある人間なら、自分が勇敢なタイプかそうでないか、はっきりした答をもっているんだが、というようなことを鳥はたびたび考えてきたものだった。喧嘩のまえにも、受験のまえにも考えたし、また結婚のまえにだって考えてみたものだ。そしていつも自分がそれについて確たる答をもっていないことを残念に感じた。アフリカの反・日常生活的な風土で自分を験してみたいと希ってきたのも、それがかれ専用のひとつの戦争でありうるかもしれないと思われたからだった。しかしいま、鳥は戦争を考えあわす必要も、アフリカへ旅だつ必要もなしに、自分が信頼されるに足りない、卑怯なタイプであることを知っているという気がした。

鳥の沈黙に苛だった妻が、かれの膝の上で汚れた掌をにぎりしめた。鳥はそれに自分の掌をかさねようとしてためらった。妻の拳はそれに触れれば火傷をおってしまうほどに熱い敵意にみちているように見えた。

「鳥、あなたは、誰か弱い者を、その人にとっていちばん大切な時に見棄ててしまうタイプじゃない？　あなたは、菊比古という友達を、見棄てたでしょう？」と妻はいうと鳥の反応を看視するように疲れて鈍い眼を大きく見ひらいた。

菊比古か、と鳥は考えた。菊比古は鳥が地方都市の不良少年だった時分、いつもかれにつきしたがっていた年少の友人だった。鳥は菊比古をつれて隣りの市にでかけ風変りな体験をした。かれらは、精神病院から脱走した、ひとりの狂人を探しだす仕事をひきうけて、夜のあいだずっと自転車で市内を走りまわったのだった。年少の友人はやがてその仕事にあきあきして怠け、病院から借りた自転車までなくす始末だったのに、鳥は市の人びとから狂人の噂を聞いて、しだいにその狂人の人格に夢中になり、いつまでも熱心にさがしつづけた。狂人はこの現実世界を地獄だと思いこんでおり、犬のことを変装した鬼だと考えて惧れていた。夜明けになれば、かれを捜索するために病院のセパード群が放されるはずだったが、それらにかこまれれば、狂人は恐怖のあまり死んでしまうだろう、と誰もがいっていた。そこで、鳥は、夜明けまで一瞬も休まずかれを捜索しつづけたのであった。菊比古が、捜索を中止してかれらの市にかえろうとしつこく主張しつづけた時、腹をたてた鳥は菊比古を恥かしめた。かれは菊比古がＣＩＥの同性愛のアメリカ人の情人であることを暴いたのだった。菊比古は終電に乗ってひとり帰る途中、なお狂人さがしに熱中して自転車を走らせている鳥を見つけて、窓から乗りだすと、こう叫んでよこした、泣きはじめているような声で、

——鳥、おれは恐かったんだよ！

しかし鳥はそのまま憐れな菊比古を見棄てて、かれの狂人を探しつづけたのだ。結局鳥は、地方都市の中心の城山で首をつっている狂人を見つけたにすぎなかったのだが、その経験は鳥にひとつの転期をもたらした。その朝、鳥が狂人の死体を運ぶオート三輪の補助席に坐って予感したとおり、かれは子供向きの生活に別れをつげて、翌年の春、東京の大学に入った。朝鮮で戦争が

おこなわれていたころのことで、鳥たちは地方都市のぶらぶら遊んでいる連中が、強制的に警察予備隊に入隊させられ、朝鮮へおくられるという噂に脅かされていたのだった。おれがあの夜見棄てた菊比古は、あれからどうしただろう？　と鳥は考えた。かれの過去の暗闇から小っぽけな旧知の亡霊が浮びあがってきて、ちょっと挨拶したみたいだった。

「しかし、きみはなぜ、菊比古の話などを思いだして、ぼくを攻撃する気になったんだ？　ぼくはあのころのことをきみに話したことさえ忘れていたよ」と鳥はいった。

「男の子なら菊比古という名前をつけようと思っていたから」と妻はいった。

名前、あの奇怪な赤んぼうがそんなものを持つとしたら、と鳥は怯んで考えた。

「あなたが、赤んぼうを見殺しにしたら、わたしは、あなたと離婚するだろうと思うわ、鳥」と妻がいった、それは彼女がこのベッドに膝をたてて寝そべり窓いっぱいの青葉を眺めながら準備しておいた言葉にちがいなかった。

「離婚？　ぼくらは離婚しないさ」

「離婚しないにしても、それについて永いあいだ議論しあうことにはなるわ、鳥」

そして結局、おれは信頼されるに足りない卑怯な人間だと認定されたあげく、憂鬱な不適格の夫の生活をおくることになるのだろう、と鳥は考えた。いま赤んぼうは、あの明るすぎる病室で、しだいに衰弱して死んでゆこうとしており、おれはそれをただじっと待っている。ところが妻は、おれが赤んぼうの回復のために充分な責任をはたすかどうかに、おれたちの結婚生活の未来を賭けているのだから、おれは、すでに負けのきまったゲームをつづけているみたいなものだ。

それでも鳥は現在のところかれの役割を果すほかない。

「赤んぼうは死にはしないよ」と鳥は幾重にも口惜しい思いでいった。

そこへ義母が紅茶をいれて戻ってきた。義母は廊下での深刻な立話をカムフラージュしようとしていたし、妻は鳥とのあいだのさしせまった感情を母親に感づかれまいとしたので、紅茶を飲みながらの三人の会話には、はじめて日常的な雰囲気がみちびかれた。鳥は乾いたユーモアをこころがけながら、肝臓のない子供とその父親の噂をした。

念のために鳥は茂った街路樹の向うの病院の窓をふりかえり、それらがすべて青葉にとざされているのを確かめてから真紅のスポーツ・カーに歩み寄った。火見子は寝袋にもぐるような具合にハンドルの下へ体を横たえ低いシートに頭をあずけて眠っていた。鳥は屈みこんで火見子を揺りおこしながら、いま自分が他人どもの包囲をのがれて真の家族のところへ戻ってきたのだという気持になった。かれは茂りに茂った銀杏の木立の、風のわたる梢のあたりをもういちどうしろめたげにふりかえってみた。ハイ、鳥！　とアメリカの女子学生じみた挨拶をするとMGのなかの火見子はごそごそ体をおこして鳥のために助手席のドアをあけた。鳥は急いで乗りこんだ。

「まずぼくの借間へ行ってくれないか？　それから銀行へ寄って子供の病院へ行くとしよう」

火見子は車を出すとすぐけたたましい排気音をたてて急激に加速した。鳥は体の均衡をうしなってシートにたおれかかったまま、かれら夫婦が部屋を借りている家への順路を教えた。火見子の運転ぶりは鳥に船酔いのような気分を味わわせる荒あらしさだった。

「きみは本当に眼がさめているのかい？　夢のなかのハイ・ウエイを翔っているつもりじゃないか？」

「眼ざめていますとも！　鳥。夢のなかでは、あなたと性交していたわ」

「きみはいつも性交のことしか頭に浮べないのかい？」と単純に驚いて鳥はいった。

「昨日のように素晴しい性交渉のあったあとではそうよ。ああいうことは稀にしかないし、あなたとだってあのままの緊張が、いつまでつづくかはわからないわ、鳥。素晴しい性交渉の日々を永くつづかせるためには、どうすればいいのか知りたいものね。わたしたちにもおたがいの裸の体をまえにして欠伸をおさえられない時がすぐにもくるわ、鳥」

　いま始ったばかりだというのに！　と鳥はいおうとしたが、火見子の凄じい運転にかかるＭＧは、すでにかれが部屋を借りている家の生垣のあいだの砂利をはじきとばし、内庭深く乗りいれているのだった。

「五分で降りてくるよ、今度は寝ないで待っていてくれ。五分間ではたいした性交渉の夢も見られないだろう？」と鳥はいった。

　鳥は寝室にあがって行って火見子の家に当分滞在するためにさしあたり必要なものをかき集めた。赤んぼうの寝台は白く小さな棺のように見えたので、鳥はそれに背をむけてバッグをつめた。最後に鳥はアフリカ人が英語で書いた小説を一冊バッグにいれ、壁からアフリカの地図をはずして丁寧に折りたたむと上着のポケットにさしこんだ。

鳥(バード)が再びMGに乗りこんで銀行に向った時、火見子はめざとく鳥(バード)のポケットの地図を見つけて、

「それ、ロード・マップ?」と尋ねた。

「ああ、そうだよ、実用地図なんだ」

「じゃ、あなたが銀行にいるあいだに、あなたの赤ちゃんの病院への近道を調べておくわ、鳥(バード)」

「それは無理だね、これはアフリカの地図なんだから」と鳥(バード)はいった。「ぼくはアフリカ以外の土地の実用地図をもったことはない」

「あなたが、いつか本当にその実用地図を使える日がくることを祈るわ」と火見子はいくぶん嘲弄的にいった。

大学付属病院前の広場でまたMGのハンドルの下に体をもぐりこませて眠りはじめた火見子をあとにのこして、鳥(バード)は赤んぼうの入院手続きをしに行った。鳥(バード)の赤んぼうが、まだ名前をもっていないことをめぐってトラブルが起こった。鳥(バード)は窓口の女事務員と押問答をしたあと、とうとう、「ぼくの赤んぼうは、いま死につつあるんです。もう死んでしまっているかもしれません。その赤んぼうに、なぜ、名前をつけなければならないんです?」と切口上でいった。

女事務員はみすぼらしく狼狽して譲歩した。その時、鳥(バード)は理由もなく、もう赤んぼうは衰弱死をとげてしまったのだ、と感じたのである。そこでかれは死んだ赤んぼうの解剖や火葬の手続きについて女事務員に尋ねさえした。

しかし鳥(バード)を迎えた特児室の医者は、次のような言葉でたちまち鳥(バード)を撃退したのだった。

「なにをきみは苛いらと自分の息子が死ぬのを待っているんだ？　ここの入院費などたいした額じゃないよ。きみは健康保険証をもっているでしょう？　ともかく、きみの赤んぼうは衰弱してはいるがちゃんと生きているよ。父親らしくゆっくりかまえてくれよ、なあ！」

鳥は手帖の一ページを裂いて火見子の家の電話番号を書き、赤んぼうに決定的なことがおこれば、そこに電話してくれるようにと頼んだ。鳥は看護婦たちをふくめて、特児室のすべてのメムバーに、いま自分がなにかいとわしいものとして感じとられているのを感じた。そこで鳥は、保育器のなかの自分の赤んぼうを覗いて見ることさえやめて、まっすぐ広場のスポーツ・カーへひきかえした。車のなかで寝ていた火見子におとらず、病院の陽かげを駆けまわってきた鳥も汗にまみれていた。かれらは獣くさい汗の匂いを排気ガスとともども後にひき、この暑い午後を裸でベッドに横たわりながら、赤んぼうの死をつげる電話を待ちうけるために出発した。

鳥たちはその午後のあいだずっと電話機に注意をはらっていた。夕食の材料を買いだしに行くときにも、留守のあいだに電話がかかってくることを惧れて、鳥があとに残った。夕食後、かれらはラジオでソヴィエトの人気ピアニストの音楽を聴いたが、それも電話のベルに神経をとがらせて、音量を低めて聴いたほどだった。眠ってからも鳥は、たびたび夢のなかで幻聴をきいて眼ざめ、ベッドをぬけだして確かめにいった。受話器をはずした鳥に医者が赤んぼうの死をつたえるところまで、夢の領域がひろがることもあった。いくたびめかに眼ざめた時、鳥は、自分が、執行猶予の宙ぶらりんの状態にいることをあらためて感じた。そして鳥は自分がいまひとりぼっちでなく火見子とともに夜をすごしていることに、思いがけない深さと激しさの力づけを見出した。鳥が大人になってからそのように他人を必要としたことはこれがはじめてだった。

9

翌朝、予備校へ出かける時、鳥は火見子のスポーツ・カーを借りた。予備校生たちの群れる校庭で、真紅のMGはなんとなく醜聞の匂いがした。鳥は車の鍵をポケットにしまってはじめてそれを気にかけ、赤んぼうの事件がおこって以来、自分の意識の襞ひだにいくつかの欠落が生じているのを感じた。鳥は車を囲む予備校生たちの人垣を仏頂面でとおりぬけた。教員室で、鳥は二世のようにどこか不均衡に派手な短いジャケットを着た小男の外国語関係主任から、理事長がかれに会いたがっていると教えられた。しかしその通告も鳥の意識の蝕ばまれた部分にもぐりこんでしまったので、かれが平静をうしなうことはなかった。

「鳥、ユーは、見かけによらず、度胸がいいというか、ふてぶてしいというか、思いきったところがあるね」と主任は冗談のように快活にしゃべりながらも鋭い眼で鳥を検討していった。

もっとも学生たちの待ちうける大教室へ入る時には鳥も怯まずにはいなかった。今日の学生たちは、一昨日の学生たちとは別のクラスの連中だし、予備校では、異なったクラスの横のつながりはない、今日の学生たちはほとんどが、あの不名誉な出来事を知らないだろう。鳥はそう考えて自分を励ました。授業のあいだに、鳥は確かにあれについて知っているらしい数人の学生たちを見つけだしたが、かれらは都内の高校からきた都会的で軽薄な連中で、鳥の失敗をヒロイックなところもある滑稽としてうけとっているのだった。かれらは鳥と眼があうと、親愛感をこめて揶揄するような微笑をおくってよこしさえした。もっとも鳥はそれを徹底的に無視した。

鳥が講義を終って教室を出ると、螺旋階段の降り口に、ひとりの少年が待っていた。かれは一昨日鳥を弁護し、怨みっぽい予備校生たちの暴動からかれを救った学生だった。少年は他の教室での授業をすっぽかしたうえ、陽の光の直接あたる暑い螺旋階段で、鳥を待ちうけていたのだ。微笑している少年の鼻の脇には汗粒がキラキラ光っていたし、階段にじかに腰をおろしていたかれのブルーのデニムのズボンは乾いた泥に汚れていた。

「やあ！」

「やあ」と鳥は挨拶をかえした。

「理事長に呼びつけられたでしょう？　あの馬鹿が、本当に理事長に直訴したんですよ。吐いた証拠を小型カメラで写真にとって！」というと少年は手入れのいい大粒の歯をみせて照れくさげに、にっと笑った。

鳥も微笑した。あいつはいつかおれの弱味をおさえて告発すべく小型カメラを常時携帯していたとでもいうのだろうか？

「かれは、先生が二日酔で教室に出たんだ、という風に理事長に密告したんですが、ぼくら五、六人で、二日酔じゃなく、食あたりだと証言しようとしています。それを、ちょっと、うちあわせておきたいと思ったんです」と少年はすましこんで狡猾げにいった。

「あれは本当に二日酔だったのさ、きみたちの方のまちがいだ、あの正義派が告発するとおりだ」と鳥(バード)はいうと、少年の脇をすりぬけて螺旋階段を降りはじめた。

少年はあとにつづきながら、鳥(バード)を説得すべく、くいさがった。

「しかし、先生、そんなことを白状すると馘になりますよ。理事長は禁酒同盟の文京区支部長をしているんだからなあ」

「嘘をつけ!」

「季節が季節だし、食あたりということにしてはどうです? 月給が安くて、つい、古いものを食ってしまったといって」

「二日酔のことでごまかす気はないよ。きみたちに偽証してもらうことはないさ」

「ふむ、ふむ」というようなことを生意気にも少年はいっていた。「ここをやめて、どこか他の所へ行くんですか、先生?」

鳥(バード)は少年を無視することにきめた。かれはいま新しい策略めいたことに頭をつっこむ気分ではなかった。かれは極度に退嬰的になっていた。それも欠落した意識の襞ひだに関わっている。

「それじゃあなたは、予備校の先生など、やる必要がないんですね。あの赤いスポーツ・カー見ましたよ。理事長も、箱型のMGに乗ってきた先生を馘にするとなると、なんだかめんくらいますよ、あはは!」

鳥(バード)は嬉しげに笑う少年をふりかえらずそのまま教員室に入って行った。ロッカーにチョーク箱とリーダーをしまおうとして、鳥は、自分あての封筒を見つけた。スラヴ語研究会の世話人をやっている友人の手紙。研究会の緊急会議で、デルチェフさんへの対策が定まったのだろう。鳥は、封筒を破いてなかの通信を読もうとし、それから確率をめぐる学生の時分のおかしな迷信、なにか内容のわからない二つの要件に同時に出会う時、片方が不幸な意味をはらんでいれば、他方は幸福な意味をはらんでいるはずだという迷信を思いだして、封筒をそのままポケットにいれると理事長室に出むいて行った。理事長との話合いが最悪だとしたら、鳥はポケットのなかの手紙に最上の期待をよせる正当な理由をもつわけだった。鳥はデスクの向うで理事長が顔をあげるのをひとめ見るやいなや、この会見が最悪の結果を生むにちがいないことを予感した。鳥は観念して、ともかく会見のあいだだけでも気持のいい時間をすごすことにしよう、と考えた。

「面倒なことがおこってね、鳥、実はこちらも辟易しているんだ」と理事長は企業小説の尖鋭な経営者もどきに、実際的かつ荘重な態度でいった。かれはまだ三十代の半ばで、ありふれた学習塾を、この総合的で大規模な予備校につくりかえ、そしていま短期大学の設立をもくろんでいる利け者だった。巨きく不恰好な頭をすっかり剃りあげ、部厚い直線に、雨だれ型の輪がふたつぶらさがっている特別製の眼鏡をかけて容貌の特徴を強調している。しかし、そのこけおどかしの眼鏡の奥のうしろめたげな眼には鳥にいつも淡い好意をいだかせるところのものがあった。

「わかっていますよ、あれはぼくの責任です」

「密告した学生が、じつは受験雑誌の常連投稿家でね。厭なやつなのさ。大騒ぎをはじめられると困るわけだ」

「ええ、ええ」と鳥はすぐにも理事長の気持を軽くしてやるべく先まわりしていった。「夏休の特別講座も、秋以後の講座も辞退しましょう」

理事長は大仰に鼻をならして嘆息し、悲しげに憤っているような表情を浮べてみせた。

「教授に悪いんだが」と理事長はいった。鳥の義父にはそちらで弁明しておいてくれ、という意味だろう。

鳥はうなずいた。かれは、もうすぐにも理事長室を出て行かなければ自分が苛だちはじめるにちがいないと感じていた。

「それに、鳥、きみの出来事を、食あたりだと主張して、例の密告者を脅かしている連中がいるというんだよ。あの学生は、きみが連中を煽動しているというんだがね。まさかなあ！」

鳥は微笑をうしない、頭を振って否定すると、

「それじゃ、ぼくは、これで」といった。

「御苦労でした、鳥」と理事長はレンズの向うでふくらんでいる眼に濃い感情をたたえいかにも実のこもった声でいった。「おれは、きみの性格が好きでね、じつに残念なんだ。それで、あれは、やはり二日酔だったのか？」

「ええ、二日酔です」と鳥はいって理事長室を出た。

鳥は教員室をとおるかわりに用務員室から内庭へ抜けることにした。かれはその時になって、まったく不当に辱かしめられたように陰鬱に昂ぶってくるのを感じた。老人の雑役夫が、すでに鳥をめぐる噂を嗅ぎつけていて、

「先生、おやめになるんですか、おなごりおしいですなあ！」と声をかけてきた、鳥は用務員室で人気のある講師だった。

「まだ今学期中はお世話になります」と鳥は老人の雑役夫の硬ばった皺だらけの顔に浮んでいる表情に自分があたいしないと、心貧しく思いながら挨拶をかえした。

　内庭に駐車したスポーツ・カーのドアに腰をおろして、鳥をバック・アップしてくれつづけるあの少年が、陽の光と熱に大人びたしかめっ面をして待ちうけていた。鳥が用務員室の裏口などから出てきたので少年は大慌てで腰をあげた。鳥はMGに乗りこんだ。

「どうでしたか？　食あたりだといってがんばりましたか？　先生」

「あれは二日酔だったのさ」と鳥はいった。

「そら、そら！」と少年は苦にがしげに鳥をひやかした。「先生は馘ですよ」

鳥は鍵をさしこんでエンジンを始動させた。鳥の下肢はたちまち蒸し風呂につかっているような具合に汗みずくになった。ハンドル自体、鳥の指をパチンとはじくほど陽に灼けていた。

「こん畜生！」と鳥は罵った。

　少年は愉快そうに声をあげて笑った。

「馘になったあと、どうするんです？　先生」

　おれはここを馘になったあと、どうするつもりなのだろう？　赤んぼうと妻の入院費のこともあるんだが、と鳥は考えた。しかし、激しい陽にさらされたかれの頭はなにひとつ有効なプランを生みはしないで、ただ大量の汗を滲ませるばかりだ。鳥は再びきわめて退嬰的な自分を漠然たる不安感とともに見出した。

「ガイドをしたらどうです？　受験生のしみったれた日本円のかわりに外国人の観光客どものドルをぐっとしぼりあげるんですよ！」と少年はまた愉快そうに笑いながらいった。

「きみはガイドの斡旋所のようなものを知っているのかい？」と鳥（バード）は興味をひかれていった。

「すぐ調べますよ、どこへ報告しに行きましょう？」

「来週の授業の時間にでも頼む」

「まかしといて！」と少年は嬉しげに昂奮して叫んだ。

鳥（バード）はスポーツ・カーを慎重に舗道にだした。まず、その少年を厄介ばらいしてから、鳥（バード）は、封筒の手紙を読むつもりだった。しかし車を加速してから鳥（バード）は、あの子供っぽい予備校生に感謝している自分に気づいた。馘になった予備校から、汚れた真紅の中古スポーツ・カーで出て行く鳥（バード）に、もしあの少年が冗談めいた気分をもたらしてくれることがなかったとしたら、それは惨めなものだっただろう。かれは確かに弟の年齢の連中に急場を救われるめぐりあわせにちがいない。鳥（バード）は、思いついて、ガソリン・スタンドに車を乗りいれた。ちょっと考えてから、ハイ・オクタンのガソリンを注文して、かれは学生時代の確率をめぐるジョークでは、すでに百パーセント魅力的なニューズであることが約束されている手紙を読んだ。

デルチェフさんは、公使館からの呼びかけに応じないで、なお新宿の不良少女と同棲している。しかしデルチェフさんがかれの祖国に対して政治的な不満をもっていたり、スパイ行為をもくろんだり、亡命を意図したりしているということはない。かれは唯、ひとりの日本人の娘から離れることができなくなったのである。当然ながら公使館側で、もっとも惧れているのは、デルチェフさんの事件が政治的に利用されることだ。もし、西側の国の勢力がデルチェフさんの隠遁生活を材料に宣伝活動をはじめれば、それはかなりの波紋をよぶにちがいない。そこで公使館側は、できるだけ早くデルチェフさんを公使館に収容し本国に送還したいのだが、日本の警察に依頼すればそれは事件を表面化させることになるし、公使館員が実力を行使しようとすれば、第二次大戦のあいだレジスタンスの闘士だったデルチェフさんはもの凄い抵抗をこころみ、結局、警察ざたになるにちがいない。そこで困惑した公使館側は、デルチェフさんが信頼している日本人の集りである鳥(バード)たちのスラヴ語研究会に、内密なデルチェフさん説得を依頼してきたわけだ。

土曜日、午後一時、鳥(バード)たちの卒業した大学の前のレストランで、あらためて、デルチェフさんをめぐる緊急集会をひらく、と友人は書いていた。それにはデルチェフさんともっとも親しい鳥(バード)にぜひ出席してもらいたい。土曜日は明後日だ、出席しよう、と鳥(バード)は考え、手紙をポケットにしまい、蜜蜂が蜜の匂いをからだのまわりに漂わせているように、ガソリンの鋭い匂いの靄でつつまれているスタンドの青年に、料金を払った。もし今日はもとより、明日も、明後日も、赤んぼうの衰弱死をつげる電話がかかってこないとしたら、そのむなしく苛だたしい猶予の時間をうずめるべき外的な要件があらわれたのは幸運だ。鳥(バード)は、この手紙のことを、やはり魅力的な良い手紙だったと思いながら、猛だけしく排気音をひびかせてガソリン・スタンドを出た。

食料品店で鳥は、鮭の罐詰と麦酒を買った。火見子の家に戻ってきて車を駐め買物の紙袋を抱えて玄関に入ってゆこうとすると、ドアには鍵がかかっていた。火見子は外出してしまったのだろうか？　と鳥は考えた。かれの頭に電話のベルが無益に長時間鳴りひびく光景がいかにも鮮明にひろがった。鳥は身勝手な憤りにとらえられた。それでも鳥が、念のために紙袋をドアにもたせかけて家の脇にまわり寝室の窓へ呼びかけると、ちゃんと火見子の眼が、カーテンの隙間から覗いた。鳥は吐息をつき汗を流しながら玄関にひきかえした。

「病院から、連絡あった？」と鳥は硬ばった表情のまま尋ねた。

「なかったわ、鳥」

赤いスポーツ・カーに乗って夏の東京を走りまわってきたことを、厖大な行動半径の徒労だったという風に感じて鳥は手強い疲労の蟹にとりつかれた。もし病院から赤んぼうの死をつげる連絡が届いていたとしたら、かれのその日の行動のすべてが意味をあたえられ正しく位置づけられる筈だった、とでもいうように。鳥は、

「きみはなぜ、昼のあいだも鍵をかけたままでいるんだい？」とぶつくさいった。

「なんとなく恐いのね。厭らしく不幸なものをもたらす鬼が、そこまでやってきているような気がするのよ」

「きみに鬼が？」と鳥はいぶかしがっていった。「きみはいまどんな種類の不幸にもとりつかれそうにないじゃないか」

「わたしの夫が自殺したのは、そんなに以前じゃないわ、鳥。不幸の鬼にとりつかれる人間はこ

のあたりであなたひとりだと傲慢にも、いいたいのじゃない？」

　鳥はしたたかに一撃うけた。しかし火見子は第二撃をうちこむかわりにかれに背を向けてさっさと寝室に戻ったので、鳥はノック・ダウンをまぬがれた。鳥は火見子の脂っぽく光っている裸の肩を見まもりながら、猫の腹のように生温く抵抗感のある空気の澱んでいる暗い居間をとおりぬけた。そのまま寝室に入ろうとして鳥は狼狽したちどまった。部屋じゅうにたちこめている煙草の煙のガスの底に、火見子同様、いま若さをうしないつつある年齢のもうひとりの大柄な女が裸の肩や腕をさらして、ベッドに腰をおちつけているのだった。

「久しぶりね、鳥」と女は悠揚せまらず嗄れ声の挨拶をよこした。

「やあ」と鳥は困惑をまぎらすことができないままそれにこたえた。

「ひとりで病院からの電話を待っていたくなかったから、彼女に来てもらったのよ、鳥」

「今日は放送局の仕事は休み？」と鳥は訊ねた。

　彼女もまた鳥とおなじ教室で勉強した同級生だった。彼女は大学を卒業してから二年ほどぶらぶら遊んでいた。鳥の大学の女子学生のほとんどすべてがそうであったように、彼女は自分に提供されたすべての職場にたいして自分の才能が大型すぎると考えて、それらを拒んだのだった。そのあげく無為の二年のあと彼女は局部的なエリアしかもたない三流の放送局のプロデューサーになった。

「わたしの担当は深夜放送なのよ、鳥。喉で不特定多数と交尾するみたいな連中の厭らしいささやき声を聞いたことがあるでしょう？」と女友達は重おもしく作った声でいった。

そこで鳥は、勇敢にも彼女をかかえこんだ不運な放送局におこった様ざまなスキャンダルを思いだし、さかのぼって、大学でおなじ教室にいた間、自分が大柄なうえに肥りすぎで眼や鼻のあたりが狸に似ているその同級生にもっていた嫌悪感をはっきり思いだした。鳥は罐詰と麦酒の紙袋をテレビ装置にのせると、二人のニコチン中毒の女たちに遠慮しながら、

「この濛々たる煙をなんとかしよう」といった。

火見子が台所の換気窓をあけに行った。しかし彼女の女友達は、煙に痛む鳥の眼のことなどおかまいなしに、爪を銀色にぬった武骨な指で新しい煙草に火をつけた。鳥は銀メッキのダンヒルのライターの濃い橙色の炎のあかるみに、たらした前髪にかくされてはいるが、なお女としては広すぎる額の深く鋭い皺と、黒ぐろと筋がいれられている上瞼に走る小刻みな痙攣とを見た。鳥は彼女が腹のなかになにかわだかまらせているのを感じて、警戒した。

「きみたちはそろって暑さに強い体質かい?」

「それが弱いのよ、気が遠くなりそうよ」と火見子の女友達は憂わしげにこたえた。「ただ、親しい友達とゆっくり話している時に部屋の空気がやたらに動くのは不愉快だわ」

火見子はテレビの上の紙袋から麦酒をとりだして冷蔵庫の製氷皿の間に押しこんだり罐詰を調べてみたり、かいがいしくたちはたらいた。深夜放送の女プロデューサーはそれを批評的に見まもっていた。この女はおれと火見子をめぐるホット・ニューズをもの凄い勢いで流布させるだろう、深夜放送の電波にだってのせかねないぞ、と鳥は思った。

寝室の壁には火見子が鳥のアフリカの実用地図を画鋲でとめていた。そしてやはりかれがバッ

グにしのばせてきたアフリカ人の小説は死んだ鼠さながら床に横たわっていた。火見子がそれをベッドの上で読んでいた時、女友達がやってきたのだ。そこで火見子は本を投げだして玄関の鍵をあけに行き、そのままにしたのにちがいない。おれのアフリカ関係の宝がこのようにないがしろにあつかわれる、それは不吉な兆しだ、と鳥はいまいましげに考えた。おれは、一生涯、アフリカの空を見ることがないのだろう。アフリカ旅行の資金のプールどころか、おれは日々の糧をかせぐ職場すらうしなったところだ。

「ぼくは予備校を馘になったんだ、夏休の特別講座からあと、ずっと馘さ」と鳥は火見子にいった。

「また、どうしたの？ 鳥」

鳥はやむなく、かれの二日酔と嘔吐と、執拗な正義派の密告とをめぐって物語ったが、話はしだいに湿っぽく不愉快なものになった。厭気がさして鳥は、早々にきりあげた。

「あなたは、理事長に抗弁することができたのに！ 食あたりだと偽証してくれる学生たちがいたのなら、その人たちにバック・アップしてもらって決して悪くなかったのに！ 鳥。なぜ、そんなに簡単に馘を承知したの？」と火見子が昂奮していった。

そうだ、なぜ、おれはあのように簡単に馘首をうけいれたのだろう？ と鳥は考えた。そして、はじめて鳥は、失ったばかりの予備校講師の椅子に未練を感じた。あれは、このようになかば冗談みたいに、棄ててしまっていい仕事ではなかった。それに、義父にたいしていったいどのように報告すればいいだろう。異常な赤んぼうが生れた日に泥酔し、翌日にはその二日酔で、馘首されるほどの失敗をしてしまったのだと、おれは教授にうちあけられるだろうか？　しかもそのウイスキーは教授がおれにくれたジョニイ・ウォーカーだと……

「ぼくはこの世界で自分が正当に権利を主張しうるものは、なにひとつなくなってしまった、という風に感じていたのさ。そのうえ理事長との会見をできるだけ短く切りあげたくて、むやみに、なにもかも了承したわけだ」

「鳥、いま、あなたは、自分の赤んぼうの衰弱死をじっと待っているから、それで、この世界にたいしてすべての権利をなくしたと感じているというの？」と横から口を出して女プロデューサーがいった。

火見子は鳥のまきこまれた不幸についてすっかり女友達に話してしまったわけだ。

「おそらくそうだと思うよ」と鳥は火見子の軽率さと女プロデューサーの押しつけがましさを苛だたしく感じながらいった。鳥は、広く知れわたったスキャンダルのなかの自分をもう容易に予想することができた。

「そのように、この現実世界にいささかの権利もないと感じはじめた人間が自殺するのよ、鳥。自殺しないでね」と火見子がいった。

「自殺？　また、唐突に！」と鳥は、心底、脅かされていった。

「わたしの夫は、そのように感じはじめてすぐ自殺したのよ」と火見子はいった。「もし、あなたまでがこの寝室で首をくくることになれば、わたしは自分を魔女みたいに感じると思うわ、鳥」

「自殺なんて考えてみたこともない」と鳥は力をこめていった。

「あなたのお父様は自殺されたのでしょう？　鳥」

「なぜきみはそれを知っているんだ？」と鳥は驚いていった。

「わたしの夫が自殺した夜、あなたが、わたしをなぐさめようとして話してくれたわ、鳥。自殺など、ごくありふれた出来事だとわたしに錯覚させようとして」

「ぼくもずいぶん慌てていたんだろう」と鳥はぐったりしていった。

「あなたは、お父様が自殺するまえに、あなたを殴った話もしたわ」

「どういう話？」と女プロデューサーが好奇心をもやして訊ねた。

鳥がむっと黙りこんだので火見子がその話をうけうりした。鳥は六歳の時、かれの父親に、こんな風に問いかけたのだった。

——お父さん、ぼくは生れる百年前どこにいた？　死んで百年後、どこにいる？　お父さん、死んだあとのぼくはどうなるの？

若い父親はものもいわず、やにわに鳥を殴りつけ、鳥は歯を二本折って血まみれになり、そのかわり死の恐怖を忘れさった。ところがかれの父親はそれから三箇月後、第一次大戦にドイツ軍が使った拳銃で頭を撃って自殺してしまった。

「ぼくの赤んぼうが衰弱死するとなると、ぼくはすくなくともひとつだけは恐怖をまぬがれるわけだ」と鳥は父親のことを思いだしながらいった。「ぼくの子供が、六歳になって、おなじ質問をぼくにするとなると、どうしていいかわからないからね。ぼくは一時なりと死の恐怖を忘れさせるほど強くは自分の子供の口を殴りつけられないよ」

「ともかく、自殺しないでね、鳥（バード）」

「こだわるなあ」と薄明りのなかで充血し脹れあがっている火見子の眼から、やはり異常を呈してきているように感じられる自分の眼をそらして鳥（バード）はいった。

そこで火見子が黙りこむと、女プロデューサーが待ちうけていたように鳥（バード）に向ってこういった。

「遠方の病院で自分の赤んぼうが砂糖水だけあたえられて衰弱死するのを、ただ待ちうけている、という状態がいちばんいけないのじゃない？　鳥（バード）。自己欺瞞だらけで、不確実で、不安で！　だからあなたは憔悴しているのじゃない？　鳥（バード）だけじゃなく火見子も痩せてきたわよ」

「しかし、自分の手許にひきとって殺してしまうこともできないよ」と鳥（バード）はさからった。

「むしろそうした方が、自分の手を汚すことがはっきりしているだけ、自己欺瞞がなくていいと思うわ、鳥（バード）。もうどうしても、極悪人の自分から逃れられないし、なぜ極悪人になるほかなかったかといえば、それは異常児から自分たち夫婦の甘い生活をまもりたかったためなんだから、エゴイズムの論理はとおっているわ。血なまぐさいことは病院の他人にすっかりまかせて、本人は遠方で、突然の不幸にみまわれた善人よろしく、おとなしい被害者みたいな様子をしていようとするから、精神の衛生に悪いのよ。それが自己欺瞞だということを、鳥（バード）自身、知っているでしょう？」

「自己欺瞞？　確かに、ぼくのいないところで赤んぼうが衰弱死するのを、苛いらと待ちうけているぼくが、自分の手はいささかも汚れていないと思いこもうとすれば、それは自己欺瞞だろうさ」と鳥は否定した。「しかし、ぼくは、赤んぼうの死に責任があることを知っているんだ」

「ほんとうにそうかしら？　鳥」と女プロデューサーはまったく信じないでいった。「赤んぼうが死んでしまった瞬間から、いろんな面倒があなたの頭の外側にも内側にも、どっさりのしかかってくることだろうと思うわ。そしてそれは、わたしの考えでは、自己欺瞞の報いなのよ。その時にこそ火見子は、鳥が自殺しないよう見張っているべきなんだけど、鳥はやはり傷ついている鳥夫人の所へ帰って行ってるだろうし」

「ぼくの妻は、ぼくが赤んぼうを見棄てて、赤んぼうを死なせたとしたら、離婚について考えたいといってるよ」と鳥は自嘲的にいった。

「いったん自己欺瞞の毒におかされた者は、そんなに明快に身の処し方をきめることはできないわ、鳥」と火見子は最悪の予言をつづけた。「鳥。あなたは離婚するかわりに、一所懸命に自己弁護し、問題点をうやむやにし、結婚生活をたてなおそうとするわ。離婚という決断は、自己欺瞞の毒におかされたあなたにできそうもないわよ、鳥。そして、あなたは鳥夫人にも究極の所では信頼されず、自分自身でも私生活全体に欺瞞の影を見出して、やがては自己崩壊してしまうことになるわ。もうすでに鳥、自己崩壊の兆があらわれているのじゃない？」

「袋小路じゃないか？　きみはぼくにもっとも絶望的な未来をえがきだしてくれるね」と鳥が冗談めかしていってみるのを、肥った大柄な同窓生は意地悪く真向からうけとめた。

「あなたはいま、まさに袋小路にいるのよ、鳥」

「しかし、ぼくの妻に異常児が生れたのは、単なるアクシデントでぼくらに責任はない。そしてぼくが赤んぼうをただちにひねりつぶしてしまうほどタフな悪漢でもなければ、どのように致命的な赤んぼうであれ、医者たちを総動員し、細心の注意をはらってなんとか生きのびさせようとするほどタフな善人でもないとすれば、ぼくはかれを大学病院にあずけておいて、自然な衰弱死を選ばせるほかなにもできはしないよ。そのあげくぼくが自己欺瞞の病気にかかり、猫イラズを喰ったうえに袋小路へ駈けこんだドブ鼠みたいなことになるにしても、それはもうぼくにどうすることもできないよ」

「そうじゃなく、鳥、あなたは、タフな悪漢か、タフな善人のどちらかになるべきだったのよ」

鳥は室内の甘酸っぱい空気に、アルコールの匂いがしのびこんでいるのをかぎつけた。鳥は薄暗がりをとおしてもいまやあきらかに赤らみ、顔面神経痛にでもかかっているようにどこもかしこもひくひく痙攣している女友達の大きすぎる顔を見た。

「きみは酔っているのか。いまわかったよ」

「だからといって、わたしがいままでしゃべったことから、あなたが、すっかり無傷で逃れられるわけじゃないでしょう？」と女友達は勝ち誇っていった、そしてもう遠慮なくおおっぴらにアルコールの匂いのする熱い息を吐きちらして、「そうはいうものの、鳥、赤んぼうが衰弱死したあとの自己欺瞞の残り糟の問題など、現在のあなたの眼には、まだ見えてきていないにちがいないわ。鳥の当面の最大の心配は、もしかして、異常児が衰弱死しないで、ぐんぐん育ちはしないかということでしょう？」

鳥は心臓をしめつけられ、あらためて汗みずくになり、自分を負け犬のように感じて永いあいだじっと沈黙していた。それから黙ったまま鳥は冷蔵庫の麦酒をとりだしに行った。製氷皿にじかにふれていた部分だけひどく冷たいのにあとは生温い麦酒瓶。たちまち鳥は麦酒を飲みたい気分をなくした。それでも麦酒と三つのコップとを運んで寝室に戻ると、女プロデューサーは居間に電燈をつけ、そこで髪と化粧をなおし、服を着ようとしていた。鳥は居間に背をむけ汚ならしい褐色にかげってみえる麦酒を自分と火見子のコップに注いだ。火見子が居間の女友達に声をかけると、彼女は、

「わたしはいらないわよ、もう放送局へでかけるから」とにべもなくいった。

「まだ、いいじゃない？」と火見子が過度に女性的に媚びるようにいった。

「鳥が帰ってきたのだから、わたしは必要じゃないでしょう？」と鳥を暗示の罠にさそうようなことを女友達はいった。それから、直接、鳥に、「わたしはあの大学を一緒に卒業した女の子たちみんなの守護神なのよ、鳥。誰もがまだ志を得ていないから、わたしという守護神が必要なのね。誰かが面倒にまきこまれそうになるたびに、わたしがやってきて力を貸すわ。鳥、火見子をあなた夫婦の面倒にあまり深くはひきずりこまないでね。わたし個人としては、あなたのトラブルに同情しているんだけど」

タクシーがひろえる場所まで女友達を送るために火見子が一緒に出て行くと、鳥は生ぬるい麦酒の残りを台所の流しに棄てて、冷たいシャワーを浴びた。噴出する水滴にうたれて身震いしながら鳥は、小学校の遠足の行列から落伍したあげく冷たい驟雨にとらえられた時に感じた圧倒的にひとりぼっちな気分と口惜しい無力感とを思いだした。いまのおれときたら、甲羅をかえたば

かりの柔い蟹さながら、どんな卑小な連中の攻撃にもたちまち屈してしまう。最低のコンディションだ、と鳥は考えた。赤んぼうが生れようとしていた夜、ハイ・ティーンの暴漢たちと闘ってかなりの抵抗力をしめすことができたのが、いまはあらためて恐怖心をそそられるほどありえない奇蹟だったように思われた。シャワーを浴びおわった鳥はなんとなく性欲を昂進させ裸のままベッドにあおむけに横たわった。外来者の匂いが消えさり、この家のどこもかしこもが、再び独自の古びた匂いをたてはじめている。ここは火見子の巣だ。火見子は、体の匂いをそこいらじゅうに擦りつけて自分のテリトリーを確認しておかなければ不安をまぬがれられない臆病な小動物じみている。鳥はすでにこの家の匂いに慣れてしまい、時にはそれを自分の体臭のようにさえ感じるほどだった。火見子はなかなか帰ってこなかった。シャワーに古い汗を流しきよめられた鳥の皮膚におびただしい量の新しい汗が湧きあがってきた。鳥はのろくさ立ちあがって行き、幾らか冷えたもうひとつ別の瓶の麦酒を試みた。

一時間もたってやっと戻ってくると、火見子は不機嫌な鳥に、

「あの人は嫉妬したのよ」と弁解した。

「嫉妬だって？」

「彼女はわたしたちの仲間でもいちばん可哀そうな人なのよ、それで、わたしたちの誰かれが一緒に寝てあげることがあるわ、鳥。あの人はそれを自分が、わたしたちの守護神になることだと思いこんでいるわけ」

赤んぼうを病院に置きざりにしてきた時以来、鳥の道徳の感覚は喪われていた。かれは火見子

とその女友達との関係に特別のショックをうけはしなかった。

「たとえそれが嫉妬からの言葉にしても」と鳥はいった。「ぼくは、彼女がしゃべったことから、すっかり無傷で逃れられるわけじゃない」

10

ベッドにうつぶせ仔ワニのように頭を擡げた鳥と、床にじかに腰をおろし膝をだきしめた火見子が深夜最終版のテレビ・ニューズを見ていた。すでに暑気は去って、鳥たちは太古の穴居生活者さながらほとんど裸で気持のいい涼しさを味わっているのだった。電話のベルを考慮してテレビの音量はしぼりつくされていたので、部屋には、蜂のブンブンいう羽音ほどのわずかな声の響きがみちているだけだ。鳥はその声を、意味と感情とをそなえた人間の声として聞いているのではなかったし、ブラウン管のきらめきや影のかさなりに意味のある形を判別しもしなかった。かれは、いま意識のスクリーンに確実な像をきざむものを外界からなにひとつ選びとろうとしていないのだった。かれは、ただ受話装置のみそなわった通信機のように、遠方からの、はたして送られてくるかどうか不確かな呼びかけを待機している。これまでのところ呼びかけは届かず、待機する通信機、鳥は仮死状態にあった。不意に、火見子が膝にのせていたアフリカ人の小説、エイモス・チュチュオーラの《幽鬼の森における我が生活》を床におとして体をのりだし腕をさし伸べるとテレビの音量を高めた。それでもなお鳥は、自分の眼が見ている画面、自分の耳が聞いている音声から、とくに働きかけを受けなかった。鳥は茫然とテレビを眺めたまま待機しているだけだ。また暫くたって、火見子が、膝と片手を床について腕をさし伸べ、スイッチを切った。あざやかに燃えたつ白銀色の点が、すばやく後退し消滅する。それは純粋に抽象化された死の形だ。鋭い印象をうけて鳥は、あっ、と小さく短い叫び声をあげた。いま、おれの奇怪な赤んぼうが死んだのかもしれない、とかれは感じたのだった。かれは、朝から、この夜ふけにいたるまで、ただひたすら電話連絡をまち、パンとハムと麦酒で食事をし、火見子とくりかえし性交するほかになにもしなかったし（アフリカの地図を見たり、アフリカ人の小説を読んだりすることすらしなかった。いまや、鳥のアフリカ熱は火見子に移ってしまったようで火見子は地図と小説に夢中だった）考えることといえば、かれの赤んぼうの死についてだけだった。かれは、あきらかに持続的な退行現象のうちにあった。

火見子が膝を床についたままでふりかえり、眼を熱っぽい光にキラキラさせて鳥に話しかけた。鳥は、彼女の言葉の意味をとらえることができなくて、眉をひそめ、

「あ**?**」と問いかえした。

「核爆発物をつかう世界最終戦争がはじまることになるかもしれないわね、鳥」

「また、なぜだい**?**」と鳥は驚いていった。「きみは時どき、いかにも不連続的なことをいうね」

「不連続的なこと**?**」と、こんどは火見子が驚いていった。「あなたも、いまのニューズにショ

ックをうけていたじゃない？」

「どういうニューズだった？　ぼくはテレビに注意していなかったんだよ。ショックをうけたのは別の動機からだ」

火見子は一瞬なじるように鳥(バード)を見つめたが、すぐに鳥(バード)が、いたずらの伏線をはっているのでもなければ、呆けているのでもないことをさとったようだった。火見子の緊張に輝いていた眼が翳った。

「しっかりしてよ、鳥(バード)」

「どういうニューズ？」

「フルシチョフが核実験を再開したわ、それも今までの水爆にくらべて比較を絶して巨きい爆弾を実験したらしいのよ」

「ああ、そういうことか」と鳥(バード)はいった。

「とくに印象をうけないみたいね、鳥(バード)」

「まあね」と鳥(バード)はいった。

「不思議だわ」

その時になってはじめて鳥(バード)は、自分がソヴィエトの核実験再開にいささかも特別な印象をうけないことを火見子とおなじく不思議に思った。しかもおれはいま、フルシチョフの核実験再開はもとより、核兵器を使っての世界大戦の勃発のニューズを聞いたにしても、まったく驚きそうにない……

「どういうわけだろう、本当にぼくはなにひとつ感じなかったのさ」と鳥はいった。

「最近のあなたは、政治的なものに、いっさい無関心？」

鳥はちょっと黙りこんで考えてみなければならなかった。

そしてはじめて、鳥は、

「きみや、きみの死んだ御主人などと一緒に、たびたびデモに行った学生の時分ほど、国際情勢や、政府の態度に敏感じゃないね。しかし核兵器についてだけはずっと関心を持ってきたし、友人たちとのスラヴ語研究会の唯一の政治活動は核兵器廃止のアッピールに参加することだった。したがってフルシチョフが核実験を再開したということになればショックをうけてしかるべき筈なんだが、ぼくはテレビをずっと眺めていて、なにも感じなかったね」

「鳥……」と火見子は口ごもった。

「ぼくの神経は赤んぼうの問題だけにかかずらっていて、それ以外のものには反応しなくなったという感じだ」と鳥も漠然とした不安にかられていった。

「そうよ、鳥。あなたは今日、十五時間ものあいだ、赤ちゃんがもう衰弱死したかどうか、ということしかしゃべらなかったわ」

「確かに、ぼくの頭はいま赤んぼうの幻影に占領されているよ。ぼくは赤んぼうのイメージの泉に潜っているみたいだ」

「正常じゃないわ、鳥。もし、赤ちゃんがなかなか衰弱死しなくて、この状態が百日もつづいたら、あなたは発狂するわ、鳥」

鳥(バード)は咎めるように険しく火見子を見つめた。火見子の言葉のコトダマが砂糖水と少量のミルクだけあたえられている赤んぼうにホーレン草を食べたポパイさながらのエネルギーをあたえるのではないか、とでもいうように。ああ、百日！　二千四百時間！

「鳥(バード)、そんな風に、赤ちゃんの幻影にとりつかれてしまうと、赤ちゃんが死んでしまったあとも、あなたはそれから逃れられなくなるのじゃない？　現在のあなたの赤ちゃんにたいする心理的な態度はいけないのじゃない？」と火見子はいった、そして《マクベス》の台詞を引用して英語で、「ソンナ風ニ考エハジメテハダメヨ、鳥(バード)、ソンナコトヲシタラ気ガ狂ッテシマウ」

「しかし、ぼくは今、赤んぼうについて考えないでいることはできないし、赤んぼうが死んでからも、この状態のままかもしれない。それはどうしようもない」と鳥(バード)はいった。「確かにぼくにとって最悪なのは、赤んぼうが衰弱死したあとかもしれないや」

「いまからでも、病院に電話をかけて濃いミルクの手配をしてもらうことができるわ」と火見子がいった。

「それはだめだ」と鳥(バード)は悲鳴ほどにも憐れっぽく激しい声をあげて遮ぎった。「きみもぼくの赤んぼうの頭の瘤を見たら、それがなぜだめなのかを納得するよ！」

火見子はそのような鳥(バード)を見つめると憂鬱げに頭を振った。かれらは眼をそむけあった。やがて火見子がルーム・ランプを消して鳥(バード)の脇にもぐりこんできた。すでにひとつの窮屈なベッドに二人並んで横たわっても暑さになやまされないですむ涼しさだった。二人は黙りこんだまましばらくじっとしていた。それから火見子が日頃の性のエキスパートらしくない不器用さで体をうごかし鳥にすがりつくようにした。鳥は乾いたひと房の恥毛を腿の外側に感じた。思いがけなく厭わしい気分がかれをかすめて過ぎた。鳥は火見子がそれ以上四肢を動かさずに、彼女自身の女性的な眠りのうちへ移りすんでいってくれることをねがった。それでいて自分が眼ざめているあいだは彼女もまた眼ざめていてくれることを切実に望んでもいるのだった。そのまま時が過ぎた。鳥も火見子もおたがいに相手がはっきり眼ざめていることを感じながらそれに気がついていることを隠そうとしていた。それでもついに火見子が擬装死の状態に耐えきれなくなった狐ほどにも突然に、

「鳥、あなた、昨夜、赤ちゃんの夢を見たでしょう？」と奇妙にうわずった声でいった。

「ああ、見たよ。なぜ？」と鳥はいった。

「どんな夢？」

「そこは月のロケット基地なんだが、じつに荒涼とした岩場に赤んぼうのバスケットが置いてあるのさ、それだけだ。単純な夢だよ」

「あなたは、赤ちゃんみたいに体をちぢめて、拳をにぎりしめると顔じゅう口にして、オギャア、オギャアと泣いたわよ、眠ったまま」

「怪談だ、正常じゃない！」と鳥は湧きあふれる羞恥心の温泉に溺れそうになって憤激したようにいった。

「恐かったわ。そのまま、あなたがもとに戻らなくなるのじゃないかと思って」

鳥は暗闇のなかで燃えるような頬をして黙りこんだ。火見子もまた身動きひとつしないでいた。

「ねえ、鳥。こんどのことが、こんな風にあなた個人に限る問題じゃなくて、わたしにも共通に関わる問題だったとしたら、わたしはもっとうまくあなたを力づけてあげられたのに」とやがて火見子が鳥にかれの魘されかたについて話したことを悔んでいる沈んだ調子でいった。

「確かにこれはぼく個人に限った、まったく個人的な体験だ」と鳥はいった。「個人的な体験のうちにも、ひとりでその体験の洞穴をどんどん進んでゆくと、やがては、人間一般にかかわる真実の展望のひらける抜け道に出ることのできる、そういう体験はある筈だろう？　その場合、とにかく苦しむ個人には苦しみのあとの果実があたえられるわけだ。暗闇の洞穴で辛い思いはしたが地表に出ることができると同時に金貨の袋も手にいれていたトム・ソウヤーみたいに！　ところがいまぼくの個人的に体験している苦役ときたら、他のあらゆる人間の世界から孤立している自分ひとりの竪穴を、絶望的に深く掘り進んでいることにすぎない。おなじ暗闇の穴ぼこで苦しい汗を流しても、ぼくの体験からは、人間的な意味のひとかけらも生れない。不毛で恥かしいだけの厭らしい穴掘りだ、ぼくのトム・ソウヤーはやたらに深い竪穴の底で気が狂ってしまうのかもしれないや」

「わたしの経験では、人間に関するかぎりまったく不毛な苦しみというものはないと思うわ、鳥。あの人が自殺したすぐあとで、わたしは梅毒恐怖症にとりつかれたのよ。そういう惧れのある男と予防なしに一緒に寝てしまったのね。わたしは、ずいぶん永いあいだ、恐怖症に苦しんだわ。そして苦しんでいるときには、これだけ不毛でむだなノイローゼはないだろう、と思ったものよ。だけど、それから回復したあとやはり効果はあったのね、鳥。それ以後はどんなに危険な人間と寝ても、あまり永つづきする梅毒恐怖症にはかからなくなったから！」

火見子は滑稽な打ちあけ話としてそれを話していた。火見子は最後に短い含み笑いすらつけくわえた。鳥はそれが偽の陽気さによってであれ火見子がともかくかれを元気づけようと努めてくれているのを感じた。そのくせ鳥は、冷笑家めかして、

「ぼくは妻がこの次に異常児を生んだとしてもあまり永くは苦しまなくてすむわけだ」と厭味をいった。

「そういう意味で話したのじゃないのよ、鳥」と悄然として火見子はいった。「ねえ、鳥。わたしはあなたが、今度の体験を、竪穴式から、抜け道のある洞穴式へ、変えることができればと思うわ」

「それはできないだろう」と鳥はいった。

そこで、ついに火見子が、

「麦酒と睡眠薬をとってくるわ、鳥、あなたにも必要でしょう？」といった。

それは必要だったが、鳥は電話のベルを聞きもらすわけにはゆかないのである。鳥は、未練のあまりにとげとげしくなってくる声で、

「ぼくはいらないよ。朝、口のなかが睡眠薬の味でいっぱいになるのは厭だから」といった。ぼくはいらないよ、というだけで足りたわけだ。しかし鳥は睡眠薬と麦酒への喉が火照るばかりの欲求をおしひしぐために、もっと多くの言葉を必要としたのだった。

「そう？」と火見子は睡眠薬のタブレットを麦酒でのみくだしながら無慈悲にいった。「そうい

えば、あれは歯が欠けたときの味ね」

　やがて火見子が眠りこんだあと、火見子の側の肩から腕、脇、腹まで象皮病にでもかかったように硬ばらせて鳥はいつまでも眼ざめていた。鳥は他人の肉体とひとつのベッドに横たわっていることで、自分の肉体が不当なほどにも大きい犠牲をはらっていると感じた。かれは結婚した最初の一年間、妻とおなじベッドに眠っていたことを思いだしてみたが、それは記憶のあやまりのように思われるほどだ。鳥がついに決心してベッドから降り床にじかに寝ることにして、体をおこそうとすると、深く眠っている火見子が、一瞬鳥を怯えさせるほどにも獣じみた呻き声をあげ歯ぎしりしてしがみついてきた。鳥はまたかれの腿の外側にごしごし擦りつけられるひと房の恥毛を感じた。火見子のなかばひらいた唇の暗い奥底から錆びた金属質じみた匂いがむっと吹きあげた。

　鳥はそのまま身動きする余裕もなしに、つのる体の痛みに絶望しながら、むなしく眼ざめていた。やがて鳥は棘だらけの猜疑心におそわれた。突然、あの医者と看護婦どもが、じつは赤んぼうに濃いミルクを一時間ごと10リットルもやっているかもしれない、という胸苦しい疑惑がかれをとらえたのだ。おれが赤んぼうの衰弱死をまちながら、いまそこにひそんでいる猶予の独房のなんと疑わしいことだろう。鳥には、赤んぼうが、二つの頭に二つの赤い口をひらいて、濃縮ミルクをごくごく飲んでいる光景が見えた。鳥の体じゅうの皮膚にあますところなく熱の粟粒がまかれた。赤んぼうを衰弱死させることへの恥かしさの感覚の分銅が軽くなり、天秤の逆のがわの、奇怪な赤んぼうから危害を加えられるという被害者意識の分銅が重くなって、鳥をめぐる猶予の心理的バランスが揺らいだ。鳥はエゴイスチクな不安にさいなまれて汗をかいた。かれはもう、暗闇のなかにうかびあがる家具をふくめてなにものも見出さず、車の走りさる響きをふくめていかなる音も聞かず、ただ、体の内部からの熱と汗粒の流れおちるむずがゆさを皮膚に感じとるだけの存在だった。農薬にふれた芋虫みたいにじっと横たわったまま青臭い体液を滲みださせつづけている。あの医者と看護婦どもは、おれの奇怪な赤んぼうに10リットルもの濃いミルクをやっているにちがいない……

夜が明けても鳥は、この恥かしい妄想を火見子に話すことはできないだろう。深夜放送の女プロデューサーがかれを貶めた通りの妄想なのだから、しかし鳥は電話連絡をまちうける状態を忍耐しきれなくなって、朝のうちに付属病院の特児室へでかけてゆくだろう。電話のベルは夜明けまでついに鳴りひびかない。不眠のままむかえる夜明けが過ぎ夏の朝の光がカーテンのあわせめからしのびこみはじめても、不安のタール槽にじっと沈みこんでいる汗ばんだ鳥の耳に幻聴よりほかのベルの音は聞こえてこない。

医者と鳥はおたがい不機嫌に黙りこんで肩を押しつけあい、水族館でタコを観察してでもいるようにガラス仕切りの向うのベッドを眺めた。鳥の赤んぼうは特別な処置をとられているという秘密めいた様子もなく、保育器から出て、普通のベッドに、兎唇を手術した赤んぼう同様、ひとりぼっちで横たわっていた。鳥には、その茹でたエビのように真朱な赤んぼうが衰弱してきているものとは思えなかった。赤んぼうはいくらか大きくなってさえいた。おなじくかれの頭の瘤もまた成長したようなのだ。赤んぼうは自分の瘤の重さと平衡をとるためにぐっとのけぞっており、くびれた両手を耳のうしろにかざし、その拇指のつけねでしきりに頭を擦りつけていた、顔の半分ほども皺だらけになるほど硬く眼をつむって。おそらく赤んぼうは瘤をひっ搔こうとしているのだが、そこまで指がとどかないのだ。

「頭の瘤がむずがゆいのでしょうか？」

「あ？」と医者はいった、それから鳥の質問を了解して、「さあ、どうかねえ。ただ、瘤の下っかわの皮膚がいまにも破けそうに糜爛しているから、むずがゆいかもしれないね。いちどそこに抗生物質を注射したけれども、いまはやめているから、そのうちそこが破けるかもしれない。破けてしまえば、新生児は呼吸困難の状態にはいるでしょう」

鳥は医者を見つめて口をひらこうとし、結局黙ったまま唾をのみこんだ。鳥は、父親の自分がこの赤んぼうの死をねがっていることを医者が忘れてしまっていないかどうか確かめたいと思ったのだった。そうしなければ、おれは今夜また昨夜のような疑惑に踏みにじられるだろう。しかしやはり鳥は唾をのみこむことしかできなかった。

「ここ一両日が分れめでしょう」と医者がいった。

鳥は、あいかわらず耳のあたりに朱く肥った大柄な手をかざして頭を擦りつけている赤んぼうを見つめた。赤んぼうの耳は、鳥の耳そっくりに、かじかみ巻きこんでいる。鳥はそこに自分の声がとどくことを惧れているようなささやき声で、

「よろしくお願いします」といった。

そして鳥は赤面したまま医者に頭をさげて特児室を出た。背後にドアが閉じられた時、早くも鳥は医者にかれの希望をあらためて強調しておかなかったことを悔んでいるのだった。廊下を歩きながら鳥は、両手を自分の耳のうしろにかざし、拇指のつけ根のふくらみで髪の生えぎわをしきりにこすりつけた。こすりつけながらも、かれは重い錘りで頭が後ろにひきつけられてでもいるというように、しだいにのけぞっていった。やがて鳥は自分が、頭に瘤をつけた赤んぼうの姿勢と身ぶりを無意識のうちに模倣していることに気づいて立ちどまるとせわしげにまわりを見まわした。廊下の曲り角の水飲場で無表情な二人の妊婦がこちらを眺めていた。鳥は吐気を感じてやにわに渡り廊下にむかって駈けた。

鳥が大学前のレストランのまえを徐行し車をとめることのできる隙間を探していると、眼ざとくかれを見つけた友人がレストランを出てきた。鳥はやっと駐車して腕時計を覗いた。三十分遅刻している。鳥が車から降りたった所へ近づいてきた友人の顔は焦燥感のカビでおおわれていた。

「友達の車なのさ」と鳥は真紅のスポーツ・カーを照れくさがって弁解した。「遅れてすまない。もう、みんな集ったろう?」

「いや、おれときみだけだ。他のメムバーは、例のフルシチョフの核実験再開に抗議する集会に出るといって日比谷へ行ってしまったのでね」

「ああ、そういうことか」と鳥（バード）はいった。そしてかれは、今朝それについて報道している新聞を火見子が読んでいるのを知りながらも、まったく関心をひかれなかったことを思いだした。おれは、いまもっぱら奇怪な赤んぼうという個人的な厄介にかかずりあっていて、この現実世界には背をむけてしまっている。しかし、それというのも地球の運命に加担して抗議集会にあつまっている連中には瘤をつけた赤んぼうが、嚙みついていないからだ。

　苛だたしげな友人は、単純に納得している鳥（バード）を咎めるように一瞥すると、

「メムバーはみな、デルチェフさんと、かかりあいになるのを避けたがっているんだよ、それでフルシチョフに抗議すべくでかけたんだ。日比谷の野外音楽堂で、何万人かがいっせいに不平を叫びたてることくらいなら、まさかフルシチョフ氏とひと悶着おこすことにはならないからね」

といった。

　鳥（バード）はスラヴ語研究会の他のメムバーたちのそれぞれのことを考えた。確かに、かれらは泥沼に踏みこんだデルチェフさんと深くかかりあっては困る筈だった。かれらは一流の商事会社の貿易課につとめていたり外務省の官吏だったり、大学の研究室の助手だったりする。デルチェフさんの事件がスキャンダルとして新聞にあつかわれるようなことになった時、いくらかでもそれにつながりをもっていると上司にかぎつけられれば不都合なことがおこるにちがいない。予備校の講師で、しかもそれを近々、馘になる筈の鳥（バード）ほどに自由な人間はひとりもいない。

「それで、どうする？」と鳥（バード）は友人をうながした。

「どうしようもないよ。おれたちの会としては、デルチェフさん説得の依頼を公使館にそのまま

返上するほかないと思うんだよ」

「きみも、デルチェフさんと、かかりあいたくなくなったわけか？」

鳥(バード)にはいかなる底意もなく、ただ興味をそそられてそう尋ねただけだったが、友人は、突然、侮辱されたとでもいうように眼を充血させて鳥(バード)を見かえした。鳥(バード)は友人がデルチェフさん説得の依頼を返上することについてすぐさま賛成する鳥(バード)を期待していたのだとさとって驚きを感じた。

「しかし」と鳥(バード)は、むっと黙りこんだ友人に穏やかに反論した。「デルチェフさんにとってみれば、おれたちの説得に応じることが最後のチャンスだろう？　それがだめだったら、もう表ざたになるほかないというのだったろう？　それじゃ、おれたちが、この依頼をそのまま返上するのは寝ざめがよくないよ」

「もちろん、デルチェフさんが、おれたちの説得を受けいれてくれれば、めでたし、めでたしさ。しかし、うまくゆかなくて、デルチェフさん事件がスキャンダルになれば、おれたちは国際問題に巻きこまれるんだぜ。おれはやはりデルチェフさんといま接触することには、抵抗を感じるよ」と友人は鳥(バード)から眼をそらして暴かれた羊の内臓みたいなスポーツ・カーの運転席をのぞきこみながらいった。

鳥(バード)は友人がかれに、それ以上反駁せず了承してくれるようにと憐れっぽいほど赤裸に暗示するのを感じた。しかしかれは、スキャンダルとか、国際問題とかいう、おどろおどろしい言葉にまったく影響をうけないのだった。すでに鳥(バード)は、奇怪な赤んぼうのスキャンダルにとっぷり頭まで漬っていたし、赤んぼうをめぐる家庭の問題は、いかなる国際問題よりも、具体的に重く切実に鳥の頸ねっこを押えていた。鳥はデルチェフさんがその身辺にひそませている筈のすべての陥穽の恐怖から自由だった。赤んぼうの事件の発端以来はじめて鳥は自分が他人にくらべて確実に幅広く所有している日常生活の余裕に気づいて皮肉なおかしみを感じた。

「スラヴ語研究会がデルチェフさん説得の依頼を返上するとしたら、おれ個人でデルチェフさんに会いに行ってみたいんだ。おれはデルチェフさんと親しかったし、それに、もしデルチェフさんの事件が表面化して、おれがスキャンダルにまきこまれるとしても、おれはとくに困らないからね」と鳥はいった。かれは医者の言葉がもたらした新しい猶予期間、この一両日をうずめる内容をほしがっていたし、デルチェフさんの隠遁生活を本当に見たくもあった。

　友人は鳥の方で気恥かしくなるほど現金にすぐさま蘇生した。

「きみにその意志があるならそうしてくれ！　それはおそらく最上だ」と友人は熱っぽい声に力をこめていった。「じつは内心、きみがひきうけてくれればいい、と思っていたんだ。きみより他のメムバーは、デルチェフさんの噂を聞いたとたんに、浮足だってしまったんだが、鳥、きみだけは落着いて超然としているからね。おれは感心していたんだ」

　鳥は急に饒舌になった友人を傷つけないようにおだやかに微笑していた。かれはいま赤んぼうの問題よりほかの事件にたいしてなら自分がどのようにでも落着いて超然としていられることを知っていた。だからといって、と鳥は苦い気分で考えた。奇怪な赤んぼうの首枷をはめられていないこの東京じゅうの他人どもが、おれを羨望する理由はないだろう。

「とにかく昼飯は、おれが奢るよ、鳥」と友人はいそいそと申し出た。「まず麦酒でも飲もうや、鳥」

鳥はうなずいた。かれらはレストランに向って肩をならべて歩いて行った。鳥と向いあって腰をおろし給仕に麦酒を注文してから上機嫌な友人がこういった。

「鳥、その、両手の拇指のつけねで頭をこすりつけるのは、きみの大学の時分からの癖だったかい？」

鳥は酒場と朝鮮料理屋のあいだに罅われのように開いた幅五〇センチほどの路地に、体をななめにして入って行きながら、この迷路にはかくされたもうひとつの出口があるのではないか、と考えた。友人から手渡された地図では、そこは袋小路で、いま鳥が入って行くところが袋の唯一の入口だ。袋は、胃のような形をしている、しかも腸に到る出口を閉ざされた胃。このように閉鎖的な場所のどんづまりに、逃亡生活者や逃亡生活志願者がひそんでいて、不安に感じないものだろうか？　デルチェフさんは、隠れ家としてこういう場所を選ぶほかないほど、追いつめられた気分だったのだろうか？　おそらくもうデルチェフさんはこの袋小路にいないだろう。鳥はそう考えて気持を軽くすると、路地のつきあたりのアパートの、山塞にいたる秘密の間道のような入口に立ちどまって汗みずくの顔をぬぐった。その路地全体がなんとなく翳っていたが、空をあおぐと激烈な夏の真昼の陽の光が白熱したプラチナの網のように、路地をおおっていた。鳥は輝く空をあおいだまま、眼をとざし拇指の腹でむずがゆい頭をこすりつけた。そして鳥は弾かれたように両腕をおろすと、のけぞっていた頭を起こした。遠方で女の子が気違いじみた叫び声をあげていた。

鳥(バード)は靴をぬいで片手にさげ、土埃りでざらざらしている玄関の短い階段をあがり、建物の中へ入って行った。独房のドアじみた扉が廊下の左側に並んでいる。右側は壁だ、様ざまな落書きがある。鳥(バード)はドアの番号を確かめながら奥へ進んで行った。それぞれのドアの向うに人間の気配はあるのにすべてのドアが閉じられていた。このアパートの住人たちは暑気をどのように避けているのだろう。火見子はその先達だが、この大都市に真昼も部屋をとざして閉じこもる種族がいつのまにかふんだんに増殖したのか？　結局、鳥(バード)は廊下のつきあたりまで入りこんでしまって、そこに内ポケットのようにかくれている狭く急な階段を見出した。そして、鳥(バード)がなにげなく後ろをふりかえるとアパートの入口にひとりの大女が仁王立ちになってかれを見まもっていた。大女の背がアパートの外からの光をすべて遮断しているので、廊下も彼女自身も黒ぐろと翳っている。

「あんた、なにしてるのよう？」と大女が犬を追うような身ぶりをしながら声をかけてきた。

「友達の外国人を訪ねてきたんですが」と鳥(バード)はおののく声で答えた。

「アメリカ人？」

「日本人の若い娘と暮している……」

「ああ、そのアメリカ人は、二階の一番手前の室だよ」と大女はいってあっさり消えてしまった。

もし、その《アメリカ人》がデルチェフさんなら、かれはあの大女に好感をもたれているわけだ。しかし鳥(バード)は、白木の階段をのぼりながら、半信半疑だった。ところが、極度に狭い踊り場で方向転換するやいなや鳥は、訝かしげな眼つきながらも、両腕を勢いよくかかげて、かれを迎えるデルチェフさんを見出したのだった。鳥は不意の喜びにうたれた。このアパートでデルチェフさんだけが、ドアを開いて暑気を追いはらう工夫をしている健全な生活感覚の持主だったわけだ。

鳥は廊下の壁ぎわに自分の靴をたてかけると、部屋から廊下に半身を乗りだして微笑しているデルチェフさんと握手をかわした。デルチェフさんはマラソン選手のようにブルーの半ズボンとランニング・シャツをつけているだけだった。頭の赤毛を短く刈りこんでいるかわり、やはり赤い口髭をたっぷりとたてているデルチェフさんに、鳥は逃亡生活者のいかなる兆候も見出さなかった。ただこのアパートにとじこもって以来バスを使う機会にめぐまれないのだろう、小男デルチェフさんは、熊のような大男なみに、もの凄い体臭をたてていた。鳥とデルチェフさんは、おたがいに貧しい英語で挨拶をかわした。デルチェフさんは、かれの女友達が髪をセットしに行ったところだといった。そしてデルチェフさんは畳を敷いた室内に鳥を招じいれようとしたけれども、鳥は足が汚れていることを口実にそれを断って、廊下に立ったまま話をすませようとした。鳥は、デルチェフさんの部屋に長居することになるのを惧れていた。デルチェフさんの部屋を覗いてみると、そこにはまったくなにひとつ家具がなく、部屋の奥にひとつの窓がひらいていたが、それは二〇センチ向うで厳密な板囲いにさえぎられている。おそらくその向うに、こちらの窓から覗かれてはならない他人の私生活のおこなわれる場所があるわけだ。

——デルチェフさん、あなたの国の公使館が、至急戻ってきてほしいといっています、と鳥は単刀直入に説得をはじめた。

——わたしは戻りませんよ、女友達が、わたしに居てもらいたがっていますから、とデルチェフさんは微笑したまま答えた。

鳥(バード)とデルチェフさんのボキャブラリの貧困で生硬な英語が、かれらの問答をゲームじみた印象にしていた。かれらはおたがいに不必要に事態を緊迫させる感情をともなうことなしに、それでいてまさに直截に問答することができた。

——ぼくは最後の使者です。ぼくのあと、あなたの国の公使館の人か、悪くすれば、日本の警察の者がきます。

——日本の警察はなにもしないでしょう、わたしは外交官ですから。

——そうですか。しかし公使館の人が、あなたをつれ戻しにくるような事態になれば、あなたは本国送還になるほかないでしょう?

——ええ、それは予期しています。わたしは面倒をおこしたのですから、左遷されるか、外交官の仕事をうしなうかするのでしょう。

——だから、デルチェフさん、まだスキャンダルにならないうちに公使館に戻られてはいかがです?

——わたしは戻りません、女友達が、わたしに居てもらいたがっています、と濃く微笑してデルチェフさんはいった。

——政治的な理由というのではなく、本当に、あなたは女友達の感情的理由だけのために、こ

——生れました、しかし異常児で、ぼくはいま赤んぼうが衰弱死するのを待っているところで

——鳥（バード）、きみの赤ちゃんは生れたかね？　とデルチェフさんがいった。

——それでは、ぼくはそのように報告します、と鳥（バード）はいって靴をとりあげるべく屈みこんだ。

こびりついているのだった。

まわりの、これは赤っぽい金色の繊細な体毛に汗の粒つぶがひっかかって光りながら揺れていた。そして気がつくと眼にふれるかぎりのデルチェフさんの体じゅうの体毛に汗の玉がびっしり

鳥（バード）は弱よわしく頭を振り、自分の役割を断念したことを示した。デルチェフさんの赤い口髭の

るでしょう。

——わたしの意志に反してつれ戻されるのですから、仕方ありません。女友達はそれを理解す

ますよ。

——さて、これからぼくが報告すれば、すぐにでも公使館の人たちが、あなたをつれ戻しにき

鳥（バード）はしだいにやりきれない悲しみの芽を育てた。

——わたしたちはいつも黙って理解します。

——あなたの女友達は、英語をしゃべりませんでしょう？

——なぜ、不思議ですか？

——あなたは不思議な人ですね、デルチェフさん。

——そうです。

こに隠れているのですか？

す、と鳥は理由もなく告白したい衝動にかられていった。頭がふたつあるように見えるほどひどい症状の脳ヘルニアなんですよ。

——なぜ、手術しないで衰弱死するのを待っている？　とデルチェフさんが微笑をおさめ猛だけしいほど男っぽく剽悍な表情をみなぎらせていった。

——ぼくの赤んぼうが手術をうけて正常に育つ可能性は百分の一もありません、と鳥はたじろいでいった。

——カフカが父親への手紙に書いている言葉ですが、子供に対して親のできることは、やってくる赤んぼうを迎えてやることだけです。きみは赤んぼうを迎えてやるかわりに、かれを、拒んでいるのですか？　父親だからといって他の生命を拒否するエゴイスムが許されるかね？

鳥はすでにかれの新しい性癖となってしまった激しい紅潮に眼も頬もみまわれたまま黙っていた。いまやデルチェフさんは、深刻な窮境にありながらユーモラスな平常心をのこしている、赤い口髭の、風変りな外国人ではなかった。鳥はかれを非難する意外な伏兵に出会った気分だった。鳥は自分を強制して無理やり抗弁しようとし、そして突然、自分にはデルチェフさんにこたえるいかなる言葉もないと感じてうなだれた。

——ああ、この可哀そうな、小さなもの！　とデルチェフさんがささやくようにいったので鳥がびくっと震えて顔をあげると、デルチェフさんは赤んぼうのことをではなく、鳥自身のことをいっているのだった。鳥はじっと黙りこんでデルチェフさんがかれを解放してくれる時を待った。

それから鳥がデルチェフさんにやっと別れをつげると、デルチェフさんは鳥に、かれの国の言葉を英語でひく小さな辞書をくれた。鳥はデルチェフさんに辞書の扉にサインしてもらいたいと頼んだ。デルチェフさんはバルカン半島の故国の言葉をひとつ書いてその下にサインすると、

――この単語は希望という意味です、といった。

アパートから出て行った鳥は、路地のいちばん狭いところで、小柄な若い娘とぎこちなくすれちがった。鳥はセットしたばかりの髪の匂いをかぎ、異様なほど蒼白な娘のうつむいた首筋を見、声をかけることをやめた。この可哀そうな、小さなもの。鳥は眼も昏む陽光のなかにでて、たちまち汗みずくになりながら火見子のMGを置いてきた百貨店の駐車場にむかって、逃亡する者のように駈けた。その時刻に駈けている男は、街じゅうで鳥ひとりだった。

11

日曜日、鳥が眼ざめると、思いがけなくかれのまわりに光と新しい空気がみちていた。あけはなたれた寝室の窓から風が流れこんで光とともに居間へとめぐって行く。その居間では電気掃除器のシュウ、シュウという音が響いていた。この家の薄昏がりに慣れてきていた鳥は、あまりの明るさに毛布のなかの自分の体を羞かしく感じた。火見子が寝室に攻めこんできて裸のかれを揶揄したりしないうちに、鳥はそそくさとズボンをはきシャツを着こんで居間に出て行った。

「お早よう、鳥(バード)」と動きまわる鼠を棒で押えようとしているとでもいう具合に電気掃除器をあつかっているターバンを巻いた火見子が、紅潮して幼ない感じにかえった顔でふりかえって快活にいった。「義父がやってきたのよ、鳥(バード)。掃除がすむまで、そこいらをひとまわりしているわ」

「それじゃ、ぼくは出かけるよ」

「なぜ、逃げだすの？　鳥(バード)」と鋭く反撥して火見子がいった。

「ぼくはここで、隠れ家の生活をおくっているような気分なのでね。隠れ家で、新しい人物に紹介されるというのも、奇妙な具合だと思うのさ」

「義父は、わたしがたびたび男友達を泊めるのを知ってるわ。そしてそのことを、とくに気にしていないのよ。ただ、その男友達のひとりが、朝から大あわてで逃げだすようだと、むしろそのことを気にかけると思うわ」と硬い表情のまま火見子は不満げにいった。

「O・K、それじゃ髭でも剃ろう」と鳥(バード)はいって寝室にひきかえした。

鳥(バード)は火見子がいま示した反撥にショックをうけていた。鳥(バード)は火見子の家にやってきて以来、つねに自己本位にふるまい、自分自身にだけ固執して、火見子を自分の意識の世界の一細胞のようにしか感じていなかったように思った。おれはなぜ理由もなくそのような絶対的権利を確信していたのだろう？　おれは個人的な不幸のサナギとなっていて、不幸の繭の内側のことしか眼中になく、サナギの特権を疑いさえもしなかった……

鳥(バード)は髭を剃りおわると、曇った狭い鏡のなかに個人的な不幸のサナギの青ざめて生真面目そうな顔をちらりと覗いた。鳥(バード)は自分の顔が縮みこんで小さくなってしまったことに気づいた。それは単にいくらか痩せたからというだけではないように思われた。

「ぼくはきみの家に、突然わりこんできて、もっぱらイゴセントリクにふるまっていて、それを不自然だとも思わなくなっていたのさ」と鳥は居間に出て行って火見子にいった。

「謝っているの？」と火見子はすっかり柔和な表情に戻って鳥をからかった。

「考えてみれば、ぼくにはきみのベッドに寝て、きみのつくる食事をたべ、それになにかときみを拘束する正当な理由がなにひとつないのに、きみの家でまったく寛いだ気持でいたんだ」

「出て行くの？　鳥」と不安げに火見子がいった。

鳥は火見子を見つめて、このように自分とぴったりする他人に、ここより他の場所で再びめぐりあうことはないだろう、という宿命感のごときものにとらえられた。鳥は、未練がましく辛い気分をあじわった。

「結局、出て行くのだとしても、まだ、出て行かないでね、鳥」

鳥は寝室に戻るとベッドにあおむけに横たわり、組んだ両掌に頭をのせて眼をつむった。彼は火見子に感謝したい気分だった。

やがて火見子と、その義父と鳥は、さっぱりした居間のテーブルを囲んで坐り、アフリカの新興国の指導者の噂やスワヒリ語の文法の話をしていた。火見子は義父に見せるためにアフリカの地図を寝室の壁からはずしてきてテーブルにひろげた。

「火見子ちゃんと一緒にアフリカへ行けばいいじゃありませんか。この家と土地を売れば費用は出ますよ」と火見子の義父がいいだした。

「そうね、悪くないわね」と火見子が試すように鳥を見ながらいった。「アフリカを旅行している間は、赤ちゃんの不幸について忘れることができるわよ、鳥。そしてわたしは自殺した夫のことを忘れることができるわ」

「そう、そう、それが大切なことだから！」と火見子の義父は力をこめていった。「二人でアフリカへ出発してしまえばいいじゃありませんか？」

　鳥はあまりにも激しく、底深く、その提案に揺さぶられたので不甲斐なく狼狽し、

「それはできません、それはできませんよ」と頼りない溜息とともにいった。

「なぜ？」と挑むように火見子が訊ねた。

「赤んぼうの衰弱死を、アフリカで自然に忘れる、というのはあまりにもうますぎる話だから！ぼくには、それはできない」と鳥は赤面して口ごもりながらいった。

「鳥は道徳的にきびしい青年なのよ」と火見子が嘲弄的にいった。

　鳥はますます赤面して火見子を非難する表情をうかべた。その実、かれは内心こう考えていたのだった、もし火見子の義父がおれに、自殺した夫の幻影から火見子を救いだすという道徳的な目的においてアフリカ旅行をひきうけてくれませんか？　といいだしたとしたら、おれは熱い湯をそそがれた固型スープのように融けるだろう、そしておれはこの甘くておいしい欺瞞の旅にいそいそと自分をときはなつだろう。鳥は義父のその言葉を惧れ、同時に熱望している、厭らしくものほしげな自分を暗い穴ぼこにでも隠したいと思った。一瞬あと、火見子の眼に白じらしく醒めた光がきらめくのを鳥は見た。

「一週間もたてば鳥は、夫人の所へ帰ってゆくのよ」と火見子はいった。

「これは、失礼」と火見子の義父はいった。「しかし火見子ちゃんが、こんなに生きいきしているのは、息子が死んでから、はじめてなので、そういうことを考えたんですよ。怒らないでください」

鳥は疑わしげに火見子の義父を見つめた。かれの頭は短く、すっかり禿げあがり、後頭部の陽灼けした皮膚はそのまま頸から肩へとつづいてどこまでが頭なのか判然としない。そのアシカを思わせる頭に、うっすら濁った眼がおだやかに見ひらかれている。火見子の義父がどのようなタイプの人間なのか鳥にはいささかも手がかりをつかめなかった。鳥は黙りこんで警戒しながらあいまいに微笑して、しだいに胸から喉へと息苦しくこみあげてくる恥かしい失望感を見ぬかれまいとつとめた。


真夜中、蒸し暑い暗闇のなかで、いかにも怠けものみたいにおたがいにもっとも負担のすくない姿勢をとって、鳥たちは、一時間も性交をつづけていた。交尾する獣らのようにかれらはずっと沈黙していた。最初は短い間隔をおいて、それからしだいにゆっくりした待機を経て、火見子はオルガスムのなかへ飛躍した。そのたびごとに、鳥は夕暮、地方都市の小学校の運動場でガソリン・エンジンをつけた模型飛行機を飛ばしていた時の感情を思いだした。鳥の体を軸にして円周をえがき火見子が彼女のオルガスムの空を飛翔する、重すぎるエンジンの負担に苦しむ模型飛行機さながらやはり身震いし小さな叫び声をつづけざまに発しながら。そして再び火見子が鳥の立っているグラウンドに降下すると、黙々として辛抱強い繰りかえし運動の時間が蘇える。鳥たちの性交にはすでに日常生活的な静謐と秩序の感覚が根づいていて、鳥は火見子ともう百年も性交をつづけてきたような気がした。鳥にとって、いまや火見子の性器は、単純で確実で、そこにはどのように微細な恐怖の胚芽もひそんでいない。それは《なにやらわけのわからぬもの》でなく、柔らかな合成樹脂でつくったポケットのように単純な物そのものだ。そこから妖怪があらわれてかれを追いつめるというようなことはありえないだろう。鳥は深く安堵していた。おそらくそれは火見子が、徹底してあからさまに快楽のみをめざすものとしてかれらの性交を限定したからだ。鳥は妻とのあいだの、おたがいにおどおどしていつまでも危なっかしく感じられる性交のことを考えた。結婚して数年たったいまも、鳥夫婦は性交のたびに憂鬱な心理的いざこざをくりかえした。鳥の長すぎて不器用な手足が、嫌悪を克服しようとして縮こまりこわばっている妻の体のそこかしこにぶつかるたびに、彼女は殴りつけられたような印象をうけるのである。例外なく妻は腹をたてて鳥をなじり殴りかえそうとさえする。結局鳥は、小さな喧嘩にまきこまれて性交を中止し、かきたてられたまま充たされない欲望のツノをちらちらさせる小競りあいを深夜までつづけるか、慈善をうけているように惨めな気持でそそくさと終るかするほかない。鳥はかれら夫婦の性的な生活が変革される希望をこの出産後に託していたのだった……

　火見子はオルガスムの空を旋回しながらミルクを搾る手のように鳥の性器をくりかえし圧迫したので、鳥は火見子の任意のオルガスムを選んで、それを自分のオルガスムの機会にすることができた。しかし鳥は性交後の長い夜のイメージに怯えては、つい、そこからひきかえしてしまうのだった。鳥（バード）はオルガスムへのなだらかな上昇のなかでもたらされる最も甘美な眠りを漠然と夢みていた。

火見子は幾たびめかのオルガスムの飛翔から、ゆるやかに降下しようとし、上昇気流に出会った凧のように、また高みへ逆戻りしたりしていた。注意深く、自分を抑制している醒めた鳥（バード）の耳が、暗闇のなかに響く電話のベルを聴いた。しかし起きあがろうとする鳥（バード）の背は、汗にぬるぬるした火見子の腕に、がっしり閉ざされていた。

「いいわよ、鳥（バード）」と一分後に火見子はいって腕をほどいた。

鳥（バード）はそそくさと息をととのえながら、鳴りひびきつづける居間の電話に大急ぎでとびついた。若い男の声が、大学付属病院の特児室に入院している新生児の父親を探していた。鳥（バード）は緊張し、蚊のなくような声で返事した。電話をかけてきたのはインターンの学生で、鳥（バード）の赤んぼうの担当の医者からの伝言をつたえようとしているのだった。

「遅くなってすみません。こちらでいろいろあったものですから」と遠方からの声はいった。「明日午前十一時に脳外科の教授の部屋へおいでください、副院長室です。直接にうちの先生がお電話する筈でしたが、疲れていられるので失礼しました。遅くまで、いろいろあったんですよ！」

鳥（バード）は深い息をついて、赤んぼうは死んだ、脳外科で解剖するのだ、と考えた。

「わかりました、副院長室にうかがいます、ありがとう」

赤んぼうは衰弱死した！　と受話器を置いて鳥（バード）はあらためて考えた。しかし担当の医者が疲れきってしまうほど遅くまで働かねばならなかったというのは、死が赤んぼうにどのようにおとずれたことを意味するのだろう？　鳥はこみあげる胃液の苦い味を舌に感じた。眼のまえの暗闇から巨大で恐しげなものが鳥をひと睨みしている。鳥はサソリでいっぱいの穴蔵におちこんだ動物採集家のような具合に、体じゅうでわななきながら抜き足さし足ベッドに戻った。そこは安全な巣だ、鳥は黙りこんだまま身震いしつづけた。それから鳥はもっと充分に巣の深みへもぐろうとするように、火見子の指がみちびいてやっと安定させた。性急にいくたびも失敗する、勃起しきっていない鳥を、火見子の体へ入ろうとした。鳥のせわしなさがすぐオルガスムを二人で共有して性交をおわる際の激しい動きを火見子に誘った。鳥は拙劣に撥ねまわり、突然、自瀆めいて孤独に射精した。鳥は胸の奥に荒い動悸を痛みのように感じながら火見子の脇に体を横たえ、なんの脈絡もなく、おれはやがて心臓麻痺で死ぬのだろう、と信じた。

「ひどいことをするのね」と闇をすかして疑わしげに鳥を見あげた火見子が咎めるというよりむしろ嘆くようにいった。

「ああ、悪かった」

「赤ちゃん？　鳥」

「夜遅くまでいろいろあってからのことらしいんだよ」と鳥は新しい怯えにとらえられていった。

「副院長室というのは？」

「明日の朝、そこへ出頭するんだ」

「ウイスキーで睡眠薬をのんで寝るといいわ、もう電話を待つ必要はないんだから」と火見子は限りなく優しくいった。

火見子がベッド脇のスタンドをつけて台所へ立って行ったあと、光を避けて眼を硬く閉じ、しかも重ねた両掌でそれを覆って、鳥は、茫然とした頭のなかの、ただひとつの鋭く尖った核、衰弱死する赤んぼうがなぜ医者を遅くまで働かせたのか？　ということを考えようとした。しかし鳥はたちまち恐怖心をかきたてる着想に出くわしていっさんに後退した。鳥はわずかに眼をひらくとコップに三分の一のウイスキーと定量をはるかにこえている数のタブレットを火見子の掌からうけとって噎せかえりながら一息にのみこみ、再び眼をつむった。

「わたしの分もあったのに」と火見子がいった。

「ああ、悪かった」と鳥は愚かしげにくりかえした。

「ねえ、鳥」とかれの脇になんとなく他人行儀に間隙をあけて横たわって火見子はいった。

「ああ？」

「ウイスキーと睡眠薬が効いてくるまで、お話をしてあげるわ、鳥。アフリカ人の小説のなかのエピソードなのよ。鳥、あの小説の、強盗幽鬼の章を読んだ？」

鳥は暗闇のなかで頭をふって否定した。

「人間の女が妊娠すると、強盗幽鬼の街の幽鬼どもは仲間をひとり選んで、その女の家へさしむけるの。幽鬼の代表は夜のあいだにほんものの胎児を追い出して、自分が子宮のなかにはいりこむのね。お産の日がくると善良な胎児に化けた幽鬼が生れてくるわけよ、鳥」

鳥は黙って聞いた。そのような赤んぼうは、やがて確実に病気になる。病気をなおすために母親が捧げものをすると、幽鬼はひそかにそれらを秘密の場所へしまっておく。赤んぼうの病気は決してなおることがない。ついに死んでしまった赤んぼうが葬られる時、幽鬼はもとの姿に戻って、墓場からぬけだし、秘密の場所から財産を運びだして強盗幽鬼の街に帰郷する。

「幽鬼の化けた赤ちゃんは、母親の愛を独占して、捧げものを惜しみなくつかわせるために、とても美しい赤ちゃんとして生れてくるのよ。アフリカ人は、そういう赤ちゃんを死ぬために生れてきた赤ちゃんというのだそうだけど、それがピグミーの赤ちゃんであれ、とても美しい赤ちゃんというのは、鳥（バード）、想像できるじゃない？」

おれはこの話を妻に聞かせるだろう、と鳥（バード）は考えた。妻はおれたち夫婦の、まさに死ぬために生れてきた赤んぼうのことを、とても美しい赤んぼうとして思いえがくだろうし、おれもまたしだいに、自分の記憶をそのように修正してゆくのかもしれない。それがおれの生涯の最大の欺瞞だろう。おれの奇怪な赤んぼうは、醜い双頭を修正することなく死んだ。かれは死後の無限時間にわたって双頭の奇怪な赤んぼうだ。そして、その無限時間を秩序だてる巨大な存在があるとしたら、かれの眼には、双頭の赤んぼうと、その父親とが見えているだろう。鳥（バード）は嘔気になやまされながらいきなり墜落するように眠りこんだ、いかなる夢の光もさしこまない密閉された罐のなかの眠り。それでも鳥（バード）は意識の最後の照りかえしのきらめきに、かれの守護神が、

「ひどいことをするのね、鳥（バード）」と再びささやきかける声を聞いた。鳥（バード）は頭に錘りを吊りさげられたようにのけぞり両手をかかげ拇指の腹で耳のうしろをこすりつけようとして、肱を火見子の唇にしたたかうちあててしまったのだ。火見子は痛みに涙を流しながら暗がりをすかして、鳥（バード）の不自然に縮こまった苦しげな寝姿を眺めていた。火見子は、病院からの電話を鳥（バード）が誤解したのでは

ないかと疑っていた。赤んぼうは死んだのではなく、定量のミルクと回復への道に戻されたのではないか？　病院へこいというのは、赤んぼうの手術の相談のためなのではないか？　火見子は檻のオランウータンのように窮屈に体をおりまげウイスキーの匂いの燃えたつような息をはいて眠っている男友達を、滑稽かつ憐れに感じた。しかし、この眠りは明日の大騒ぎのまえの小休止にはなるだろう。火見子はベッドから降りたち、鳥の腕と足をひっぱってベッドいっぱいにのびのびと眠ることができるようたすけてやった。鳥は魔法にかかって眠る大男のように重くはあったが思いのままだった。それから火見子はギリシアの賢人のスタイルでシーツに裸の体をくるむと居間へ出て行った。彼女は夜明けまでアフリカの地図を眺めているつもりだった。

鳥は、自分の誤解に不意に気づいて、手ひどい嘲弄をうけたように憤然と真赭になった。かれは脳外科が専門の副院長の個室に入ったところだった。かれは、赤んぼうの担当の小児科の医者をふくめて数人の若い医者たちが、威嚇的ではない威厳をもった壮年の教授を囲んでまちかまえている所へ入って行き、そして自分の誤解に気づいて真赭になり茫然と立ちすくんだのだった。それから、鳥は医者たちの円陣に囲まれて黄色のレザーの丸椅子に腰をおろした。鳥は自分のことを奇怪な赤んぼうの監獄から不様な逃走を企てて失敗し、看守詰所にひきずりだされた囚人という風に感じた。この看守どもが共謀して、鳥の逃走とその失敗を、見張り塔の高みから見物して楽しむために、昨夜の電話をあのようにあいまいなものにし、罠をかけたのではないか？

　鳥が黙りこんだままなので、

「この方が新生児の父親です」と小児科の医者が紹介した。そしてかれは羞じらっているような微笑を浮べてオブザーバーの位置にしりぞいた。脳外科の教授が、回診の折りに赤んぼうの栄養状態を見咎め、そして若い医者が鳥を裏切ったのだろう。鳥は恨みっぽくそのように考えて小児科の医者を鋭く見やった。

「昨日と今日、あなたの赤ちゃんを診たんですが、もう少し体力をつければ、手術できるでしょう」と脳外科の教授がいった。

　さあ、おれは対抗しなければならないぞ、こいつらと戦ってあの奇怪な赤んぼうから自己防衛しなければならないぞ、と鳥は恐慌におちいろうとする自分の頭に号令をかけた。鳥は甘い誤解に気づいた瞬間から、敗走をはじめていたので、逃げながら、時どきふりかえって自分を防禦することのほかには、なにも考えることができないのだった。おれは手術を拒否しなければならない、そうしなければ、おれの世界は、奇怪な赤んぼうに占領されてしまうだろう。

「手術をすれば、正常に育つみこみがあるのでしょうか？」と鳥はうわの空でいった。

「それはまだ、正確なことはなにもいえません」と率直に副院長がいった。

　鳥は、おれはぬけめのない人間なんだぞ、といわんばかりに眼を険しくした。かれの頭のフィールドに、いちばん熱い恥かしさの感覚の炎の輪が現れた。鳥はサーカスの虎さながら炎の輪を跳びぬけるタイミングを狙いはじめた。

「正常に育つ可能性と、そうでない可能性と、どちらが強いのでしょう？」

「それも、手術をしてみなければ正確なことはなにもいえませんね」

そこで、鳥はもう顔を赭らめもしないで恥かしさの感覚の輪を跳びぬけた。

「ぼくは手術をおことわりしたいと思います」

その瞬間すべての医者たちが、鳥を見つめて息をのむようだった。鳥は自分がもうどのように恥知らずなことをでも大声に主張できると感じた。しかし鳥はその厚顔な自由を行使しないでよかった。脳外科の教授は、鳥の態度をすばやく充分に理解した。

「じゃ、赤ちゃんを持って行きますか？」と教授はあきらかに腹をたててせわしげにいった。

「持って行きます」と鳥もまた早口で答えた。

「それではどうぞ！」と鳥が病院で会った最も魅力のある医者は鳥への嫌悪をむきだしにしていった。

鳥は円陣の医者たちすべてと同時に立ちあがった。試合終了のゴングだ、おれはおれ自身を赤んぼうの怪物から防衛しおおせた、と鳥は考えた。

「きみは赤ちゃんを本当に持って行くんですか？」と廊下に出たところで鳥に歩みよった小児科の医者が躊躇を示して訊ねた。

「今日の午後、受けとりに来ます」と鳥はいった。

「退院の際の赤ちゃんの着物を忘れないように」と医者はいうと顔をそむけて遠ざかった。

鳥は火見子が車を駐めて待つ病院前の広場へ急ぎ足に出て行った。その日、曇り空のもとで真

紅のスポーツ・カーもサングラスをかけた火見子も色褪せて醜く見えた。鳥は駈け足で近づくと、

「誤解だったのさ、お笑い種だ」と荒あらしく頬を歪めていった。

「そうじゃないかと思っていたわ」

「なぜだ？」と鳥は粗暴な声でいった。

「理由なしによ、鳥」と弱気にたじろいで火見子はいった。

「赤んぼうを持って帰ることにしたんだ」

「奥さんのいる病院へ、それともあなたの家へ？」

鳥はたちまち重い困惑におちいった。鳥は、自分がただ、この病院で医者たちが赤んぼうに手術を試み、かれの残りの生涯に、頭に穴ぼこのある赤んぼうを否応なく背負いこませようとしているのに対してがむしゃらに抵抗しただけで、それ以後のプランなど考えてみさえもしなかったことに気づいたのだった。かれの妻のいる病院では、いったん厄介ばらいした《現物》を再び受けいれようとはしないだろうし、借間に運びかえったとしたら、家主の老婦人の善意の好奇心がかれを窮地におとしいれるだろう。鳥が特児室で昨日までつづけられた危険な食餌療法をかれの寝室でつづけることができたにしても、餓えた双頭の赤んぼうは泣き叫んで、かれの街の幾百匹の犬どもを遠吠えに誘うにちがいない。そのあげく赤んぼうが衰弱死したとして、どの医者が死亡診断書を書いてくれるだろう。鳥は、嬰児殺し容疑で逮捕される自分と、それを報道するおぞましい新聞記事を思いえがいた。

「そうだ、ぼくは赤んぼうをどこへ運びさることもできない」と鳥は酸っぱい息を吐くとぐった

りしていった。

「もし、あなたにどのような計画もないなら、鳥」

「あ？」

「わたしの友達の医者にまかせてみたらどうかと思うのよ、鳥。かれなら、赤ちゃんを拒みたい人間に手をかしてくれるわ。もともと、わたしは妊娠中絶のためにかれと知りあったのだから」

鳥はもういちど、赤んぼうの怪物の攻撃に潰滅した軍団の、恐慌にかられて自己防禦に余念のない弱卒の感情をあじわった。鳥は青ざめ、そしてまたひとつの炎の輪を跳びぬけた。

「もしその医者がひきうけてくれるなら、そうしよう」

「かれに頼むことは、それこそ、わたしたちの」と火見子は異様なほどゆっくりした口調でいった。「手を汚して、赤ちゃんを殺すことよ、鳥」

「わたしたちの手じゃない、ぼくの手を汚して、赤んぼうを殺すことさ」と鳥はいった。そして鳥は、すくなくとも、ひとつの欺瞞から、いまおれは自分を解放したわけだ、と考えた。しかし喜びがあるわけではない、憂鬱な地下牢への階段を一段だけ、降りた感じだった。

「やはりわたしたちの手なのよ、鳥」と火見子はいった。「車の運転を、かわってくれない？」

鳥は火見子が緩慢すぎるほどに話すのを過度に緊張しているせいだと気づいた。鳥は車の前をまわり運転席に乗りこんだ。鳥は、唇のまわりへ白っぽい粉がふきだしたように鳥肌だっている火見子の青ざめた顔をバック・ミラーに見た。おれ自身の顔もまたそのようにみすぼらしいにちがいない、と鳥は考えた。鳥は車の外へ唾をはこうとしたが、口腔はすっかり乾ききって舌うちするような音がむなしく響いただけだった。鳥は火見子がやるようにきわめて乱暴に車を出した。

「その医者というのは、鳥、あなたがわたしの家にきた最初の夜、卵型の頭をした中年男が呼んだといっていた、あの友達なのよ。鳥、おぼえている？」

「おぼえてるよ」と鳥は答えながらあのようなタイプの人間とは接触することなしに、一生をおくることができそうだったんだが、と考えた。

「かれに電話で相談してから、赤ちゃんを迎えにくる手筈をととのえましょう、鳥」

「小児科の医者が赤んぼうの着物を忘れないように、といっていた」

「あなたの家へ寄って、とってくればいいわ。どこにしまってあるかわかるでしょう？　鳥」

「それはまずいよ」と鳥は、妊娠した妻が日々熱中していた赤んぼうのための準備の光景を圧倒的になまなましく思いうかべていった。かれは赤んぼうの白いベッドやアイボリイ・ホワイトの地に林檎の形の把手のついたベビイ箪笥などなどから拒否されているのを感じた。「ぼくはあすこから赤んぼうの肌着を選びだしてくることはできない」

「そうね。こんな目的で赤ちゃんの着物類を利用したとわかったら、鳥夫人はあなたを許さないわ」

そういうこともあるわけだ、と鳥は考えた。しかし家からそれを持ちださないにしても、この病院から赤んぼうが他の病院に移されたあげくそこで死んだということがわかるだけで、妻はおれを許さないだろう。そしてこのようにことが発展した以上、おれにはもう妻をあいまいな疑惑のうちにまるめこんで、うやむやに結婚生活をつづけることはできないにちがいない。おれが内心の欺瞞の痒みに耐えてどのように悪戦苦闘するにしても、すでにそれはおれの能力のおよぶ範囲をこえている。鳥はまたひとつ、欺瞞のシュガー・コートのしたの苦い真実を嚙みあてた。

鳥たちの車は広い十字路にさしかかって信号にさえぎられた。この大都市をめぐる巨きい環状線のひとつだ、鳥はかれの曲るべき方向をせわしなく見わたした。空は黒ぐろと曇り低くたれこめていた。雨気をはらんだ風がおこり、埃りっぽい街路樹の梢をしきりにざわめかせた。青にかわった信号が曇り空に際だち鳥をそこに吸いこまれるような気分にした。鳥はいま自分が生涯にいちども他人を殺そうと志すことのない他人たちとおなじ信号にまもられていることに異和感をいだいた。

「どこから電話をかける？」と鳥は逃亡する犯罪者のような気分で訊ねた。

「いちばん近い食料品店で電話しましょう、そしてソーセージかなんか買って行って食事しなければ！」

「ああ」と食欲どころか胃にいやな抵抗感を見出しながらも鳥は素直にいった。「しかしきみの友達はひきうけてくれるだろうか？」

「あの人は卵型の頭をして善良そうだけど、ずいぶん悪どいことをしてきたのよ、たとえば」と火見子はいってから、不自然に黙りこんで舌先をちらちらのぞかせ乾いた唇をなめた。それについて火見子が話す勇気をもたないほど酷いことを、あの小男がやったのだ、と鳥は考えた。また嘔気がして、実際ソーセージの昼食どころではなかった。

「電話のあとで」と鳥はいった。「ソーセージよりも赤んぼうの着るものを買う必要があるね、それに寝籠も。百貨店に行くのが手っとりばやいだろう。もっとも、ぼくは赤んぼう用品売場へ行きたくないが」

「わたしが買ってきてあげるわ、鳥は車で待っていればいい」

「妊娠したばかりの女房と一緒に買い物に行ったけど、妊婦だらけ、赤んぼうだらけで、獣くさい雰囲気だったなあ、あすこは」

鳥は火見子がますます血色をうしなってくるのを一瞥した、彼女もまた、嘔気を感じたのだろう。鳥たちはおたがいに青ざめて黙ったまま、並んで車を走らせた。それから鳥は自己嘲弄的な気分にとらえられてこういった。

「赤んぼうが死に、妻が回復したら、ぼくらは離婚することになるだろう。予備校は馘だし、それこそぼくは自由な男というわけだ。そういう状態をずっと夢みていた筈なんだが、とくに嬉しくないよ」

強まった風が鳥から火見子の方向に吹いていたので、火見子は風にさからって声をはげまさねばならない、そこで叫ぶように、

「鳥」と彼女は呼びかけた。「あなたがそのように、自由な男になったなら、義父の提案どおりに、家と土地を売って、一緒にアフリカへ行かない？」

現実に眼の前にあるアフリカ！　と鳥は考えたが、荒涼として、熱情をそそらないアフリカし

かいまは頭に浮ばない。かれの内部でそのようにアフリカが輝きを喪ったのは、かれがアフリカに最初の情熱をいだいた少年時以来はじめてだった。灰色のサハラ沙漠に佇む索莫とした自由な男、かれは東経一四〇度のトンボの形をした島で赤んぼうを殺し逃亡してきたのだが、アフリカじゅう歩きまわってイボイノシシはおろか地鼠いっぴきつかまえられなくてサハラ沙漠で茫然としている。

「アフリカか」と鳥は無感動にいった。

「あなたは、いま殻のなかのカタツムリみたいにひっこみ思案になっているだけよ、鳥。アフリカの土地を踏んだ瞬間に熱情を回復するわ」と火見子がいった。

鳥は憂鬱に黙っていた。

「わたしは、あなたのアフリカ地図に夢中よ、鳥。離婚して自由な男になった鳥とアフリカへわたって、あの地図をロード・マップに使いたいわ。わたしは昨日、あなたが眠ってしまってから、ずっとアフリカの地図を眺めていて熱病にかかったのね、鳥。だから、わたしには、自由な男の鳥が必要なのよ。わたしが、わたしたちの手を汚すといった時、あなたは、わたしたちの手じゃないといったけど、やはり、わたしたちの手なのよ。鳥、わたしたち二人でアフリカへ行くわね？」

鳥は苦しい痰を吐くように、

「きみがそれを望むなら」といった。

「わたしとあなたとの関係は、はじめ単に性的な結びつきにすぎなくて、わたしは、あなたが不安と恥辱感になやまされているあいだの、性的な急場しのぎにすぎなかったわ。ところが、昨日の夜わたしにもアフリカ旅行への情熱がたかまってきているのがはっきりしたの。いまではわたしたちは、新しくアフリカの実用地図をなかだちにして結びついているわ、鳥。わたしたちはもう単純に性的なだけの場所からもっと高い場所へ跳びあがったのよ。わたしはずっとそれを望んでいたし、いま本当に熱情を感じるわ、鳥。わたしがあなたに、友達の医者をひきあわせて、自分の手も一緒に汚すのは、そういうことなのよ、鳥」

スポーツ・カーの低い風防ガラスいちめんにいっせいに罅がはいるように、霧粒ほどにもこまやかな白い雨滴がふきつけた。同時に鳥たちは額や眼に雨滴を感じた。不意の夕暮の到来のように四囲は昏くなって猛だけしいツムジ風が起こった。

「この車に屋根はつけられるのかい？　そうしないと赤んぼうが濡れてしまう」と鳥は憂わしげな白痴のようにいった。

12

鳥がMGに黒いテント地の幌をつけおわった時、台所の窓から、焦げたニンニクとソーセージの匂いが、驚いた鶏さながら路地をぐるぐる廻っている突風にのって吹きつけた。薄く切ったニンニクをバターでいためウインナ・ソーセージをころがし、水を加えて蒸す料理、それは鳥がデルチェフさんに教わった料理だ。鳥はデルチェフさんのことを考えた。デルチェフさんはすでにあの蒼白な皮膚をした小娘からひき離されて公使館につれ戻されたことだろう。かれは袋小路の奥のかれと情人の巣で激しい抵抗を試みたろうか？　デルチェフさんにも、かれをつかまえにきた公使館員にも理解不能な日本語で、かれの情人は泣き喚いただろうか？　しかしデルチェフさんも情人も結局はあきらめてしまうほかなかっただろう。

鳥は幌をはったスポーツ・カーを眺めた。真紅のボディに黒の幌をつけて、車は傷口の、裂けた肉とそのまわりのカサブタに似ている。鳥は不燃焼な嫌悪を感じた。空は黒ぐろと曇り、空気は湿っぽく雨気に満ち、風も騒いでいたが、雨はひとしきり霧のようにあたりに満ちると、すぐまた疾風にのってどこか遠方にはこばれてゆき、しばらくすると不意にまた戻ってきた。鳥は屋並のはざまに見える豊かすぎるほどに繁茂した樹木を、通り雨が、重おもしく暗くはあるがじつにあざやかな緑に洗いあげたのを見た。それは環状線の十字路で見た信号同様、鳥を魅惑する緑だった。死の床でおれはこのように鮮烈な緑を見るかもしれない、と茫然として鳥は考えた。鳥はいま、いかがわしい堕胎医の所へはこばれて殺されようとしているのがかれの赤んぼうではなく、かれ自身であるかのように感じたのだった。鳥は玄関口にひきかえして、そこに置かれていた赤んぼうの寝籠と肌着類、靴下、毛糸の上着とズボン、それに帽子をひとまとめにしてMGに運び、座席のうしろの間隙につめこんだ。それらは火見子がたっぷり時間をかけて選んできたものだ。鳥は一時間も待たされ、火見子が逃げてしまったのではないかと気がかりに感じさえした。なぜ火見子はすぐにも死んでしまう赤んぼうの衣類を永ながと時間をかけて選んだのだろう、女の感受性はつねに奇妙だ。

「鳥、お料理できたわ」と寝室の窓から火見子が声をかけてよこした。

鳥があがっていってみると火見子は台所に立ったままソーセージを食べていた。鳥はフライパンを覗きこみニンニクの匂いに撃退されて指をひっこめると、怪訝そうにかれを見あげる火見子に弱よわしく頭をふった。火見子は熱心に咀嚼し、融けたバターにぬれた舌をコップの水で洗い、ニンニク臭い息をはいて、

「食欲がないなら、シャワーをあびたら？」といった。

「ああ、そうしよう」と汗と埃りだらけの鳥は、ほっとしていった。

鳥はつつましく肩を縮めて体を洗った。かれはいつも頭から温いシャワーをあびるたびに性欲をつのらせるコムプレクスをもっていたが、いまは息苦しい心悸昂進を感じるだけだった。鳥はシャワーの温い雨のなかで、今度は意識的に眼を硬くつむって頭をのけぞり両方の拇指のつけねで耳のうしろをこすりつけてみた。やがて頭に西瓜のような模様のビニール帽子をつけた火見子があわただしく鳥の脇に入ってきて、体じゅうをひっ掻きまわすような具合に洗いはじめたので、鳥はゲームを止めて浴室を出た。そして鳥が体をタオルでぬぐっている時だった、かれは路地でひどく大きく重いものが地面に落下した物音を聞きつけた。鳥は寝室の窓ごしに覗きに行って、かれらの真紅のスポーツ・カーが沈もうとする船のように致命的に傾いでいるのを見た。前の右側のタイヤが喪われている！　鳥は背などろくろくぬぐいもしないでズボンをはきシャツを着こみ車を調べに出ていった。路地の入口を誰かが駈けて消え去る気配だった。鳥はそれを追いかけ

ようとはしないで、被害をうけた車を検討した。外れたタイヤは影も形もないし、傾いで地面にふれたがわの前照燈がショックで壊れている。リフトで車体をもちあげタイヤを外しフェンダーに乗って前照燈が壊れるほど急激に車を傾がせたやつがいるわけだ。いまリフトは折れた腕のような恰好で車体の下に転っていた。鳥はまだシャワーを浴びつづけている火見子に、

「タイヤを盗まれたよ、前照燈も壊されている。おかしな泥棒だ。スペアのタイヤがあればいいんだが」と呼びかけた。

「物置の奥にあるわ」

「しかしタイヤをひとつなんて誰が盗んだのだろう？」

「わたしの友達に子供みたいに若い子がいたでしょう？　鳥。かれの厭がらせよ。タイヤをかかえてどこか近くに隠れてるわ。そしてわたしたちを見張っているのよ」と事もなげに火見子は叫びかえしてよこした。「わたしたちが、ほんのすこしも当惑しなかったふりをして堂々と出発してやれば、あの子は隠れ場所で口惜しがって泣くのじゃないかな。そうしてやりましょう」

「車が壊れていなければの話だがね。ともかくスペア・タイヤと取りかえてみよう」と鳥はいった。

　鳥は両手を泥と機械油だらけにしてタイヤをとりかえた。その作業の間にかれはシャワーを浴びる前より、もっと汗にまみれた。それから鳥が注意深くエンジンを始動させてみると、とくに異常はないようだった。もし遅くなるにしても夕暮までにはすべて終るだろう、前照燈は必要でないにちがいない、と鳥は考えた。鳥はもういちどシャワーを浴びたいと思ったが、火見子は出発の準備をととのえていたし、かれの苛だたしい感情は、もう、ほんのそれだけの時間の余裕も見

さい礫を投げつけてきた。

出せないのだった。そのまま鳥たちは出発した。かれらの車が路地を出る時、誰かが背後から小

病院につくと鳥はそのまま車のなかにとどまろうとする火見子に、懇願するように、

「きみも来てくれよ」といった。

そこで寝籠を鳥、赤んぼうの着物類を火見子が抱えて、かれらは特児室への長い渡り廊下を急ぎ足に歩いていった。今日かれらと行きかう入院患者たちはみな、特別な緊張を感じさせる、よそよそしい様子をしていた、それは荒あらしい風に乗って吹きつけてきたり、追いたてられるように不意に遠ざかったりする雨や、遠方の鈍い雷鳴の影響だ。鳥は寝籠をかかえて歩きながら、赤んぼうを退院させることを看護婦たちに切りだす無難な言葉を探しあぐねて、しだいに困惑を深めていたのだったが、特児室に入ってみると看護婦たちは、すでにかれが赤んぼうをつれて行くことを知っていた。鳥は安堵した。それでも、好奇心にもえる若い看護婦たちに、なぜ手術しないままで赤んぼうをつれて行くのか？　とか、どこへつれて行くつもりなのか？　というような質問をするチャンスをあたえないように、鳥は排他的で堅固な表情をたもち、眼を伏せ、必要な事務上の手つづきについてだけ、最少限に応答した。

「このカードを事務室に持って行って支払いをすませてください。そのあいだに、小児科の担当の先生をお呼びしておきます」と看護婦がいった。

鳥(バード)は猥らなピンク色の大きいカードをうけとった。

「赤んぼうの衣類をもってきましたが」

「もちろん必要です、こちらにいただきます」と看護婦は、それまであいまいに覆いかくしていた鋭い非難をあらわにした、みじんも好意的でない眼で鳥をじろりと見ていった。

鳥はすべての着物類をいったん看護婦に手わたし、それをいちいち点検する看護婦から、帽子だけつき返された。鳥は狼狽ぎみにそれをまるめてズボンのポケットにしまいこんだ。鳥はかれの後ろに佇んだまま、なにも気づかないでいる火見子を怨めしげにふりかえった。

「あ？」と火見子がいった。

「なんでもない」と鳥はこたえた。「事務室へ行ってくるよ」

「わたしも行くわ」と火見子は置いてきぼりにされることを恐がっているとでもいうように急いでいった。鳥たちは二人とも特児室のなかで看護婦たちと交渉しながらガラス仕切りの向うの赤んぼう群が決して視界に入らないよう体を無理によじっていたのだった。

事務室の窓口の娘は鳥からピンク色のカードを受けとると、鳥に印鑑を催促し、

「御退院ですね、おめでとうございます」といった。

「赤ちゃんの名前はなんとおつけになりましたか？」と娘はつづけた。

鳥は肯定も否定もせず、うなずいた。

「まだです。まだつけていません」

「いまのところ赤ちゃんはあなたの新生児と表記されているんですけど、整理するのに名前を教

えていただくとありがたいわ」

　名前、と妻の病室でそれについて考えた時とおなじく、深く当惑して鳥は考えた。あの怪物に人間の名前をあたえる、おそらくその瞬間から、あいつは、より人間臭くなり、人間らしい自己主張をはじめることだろう。名前をつけないままの死と、つけたあとの死とでは、おれにとってあいつの存在自体がちがってくるだろう。

「こう名づけたいという仮の名前でもいいんですよ」と娘は楽しげにしかし性格の頑固なところをしのばせていった。

「名前をつけたらいいじゃない？　鳥」と焦燥感をあらわにして火見子が口をはさんだ。

「菊比古ということにします」と鳥は、妻の言葉を思いだしてそういうと、文字を説明した。

　清算したあと窓口の娘は鳥に保証金のあらかたを返してくれた。かれの赤んぼうはこの病院に滞在したあいだ、薄められたミルクと砂糖水の食事しかとらなかったのだし、抗生物質の投与すらさしひかえられたのだから、このうえもなく経済的に生活したことになる。鳥たちは特児室にむかってひきかえした。

「この金はもともと、アフリカ旅行のための貯金からひきだしたものなんだ。それがいま、赤んぼうを殺してきみとアフリカへ行くことにきめたとたんに、またぼくのポケットに戻ったわけだ」と鳥は錯綜して未分化な気分のまま自分がなにをいいたがっているのかはっきりわからないでいった。

「それなら実際にアフリカで使いましょう」と火見子は無雑作にいった。それから「ねえ、鳥。

菊比古という名前だけど、わたしはおなじ文字で菊比古というゲイ・バーを知ってるわ。そこのママの名前が、菊比古なの」

「かれはいくつくらいだ？」

「ああいう人たちの本当の年齢はわかりにくいけれど、おそらく鳥より四、五歳、若いでしょう」

「きっとそれはぼくが地方都市で知っていた男だよ。かれは進駐軍の文化情報担当のアメリカ人に同性愛の情人にされて、そのあげく東京へ出奔したんだ」

「偶然ね、鳥。それじゃ、あとで、そこへ行ってみましょう」

あとで、赤んぼうをいかがわしい堕胎医のところへ見棄てたあとで！　と鳥は考えた。そして鳥は、地方都市で自分がひとりの少年を見棄てた夜ふけのことを思いだした。おれはいま新しく見棄てようとしている赤んぼうを、かつて見棄てた少年の名で呼ぶことになったわけだ、やはり名前をつける行為は、疑わしい罠に囲まれている。鳥は一瞬引きかえして名前を訂正したいと考え、たちまち無気力の毒にその意志を腐蝕された。そこで鳥は自虐的な気分で、

「今夜はゲイ・バー《菊比古》でずっと飲んでいよう、お通夜だ」といった。

特児室では、すでにガラス仕切りのこちら側に運ばれた鳥の赤んぼう、菊比古が火見子の選んだふわふわした服を着て寝籠に横たわっていた。その脇に小児科の担当の医者が手もちぶさたに立って鳥を待ちうけていた。鳥たちと小児科の医者は赤んぼうの寝籠をなかにはさんでむかいあった。鳥は寝籠のなかの赤んぼうを見た火見子が衝撃をうけるのを感じとった。赤んぼうはひとまわり大きくなり真赭な皮膚の深い皺のように斜視の眼をひらいていた。そして頭の瘤もまたぐ

っと発育したようなのだ。それは顔よりももっと赤くてらてらと艶をもち充実していた。眼をひらいたいま、赤んぼうはいかにも老人くさく南画の仙人のようだったが、人間らしい印象は確実に欠け落ちている。それはおそらく頭の瘤に対応する額の部分がなおも狭く小さくしぼられたままだからだろう。赤んぼうは、硬く握りしめた拳をしきりにこまかく動かし寝籠から逃げだしたがっているかのようだった。

「鳥(バード)に似ていないわね」と火見子がうわずって醜い声でささやいた。

「かれは誰にも似ていないよ、もともと人間に似ていない」と鳥(バード)はいった。

「そういうことはないですよ」と小児科の医者が弱よわしく鳥(バード)を咎めていった。

鳥(バード)はガラス仕切りの向うをちょっと眺めた。いまベッドの赤んぼうたちはいっせいにさかんな身動きをしていた。鳥(バード)はかれらが連れ去られる仲間の噂をしているのではないかと疑った。赤んぼうたちはみな一様に昂奮しきっているようだった。保育器のなかの、ポケット・モンキーほどにも小っぽけで瞑想的な眼をした赤んぼうはどうしただろう？ 肝臓のない赤んぼうの戦う父親はあいかわらず茶色のニッカー・ボッカーをはき幅びろな皮ベルトをしめて議論をもちかけにきているだろうか？

「事務室の手続きは全部すみましたか？」と看護婦が声をかけた。

「ええ、すみました」

「では御自由に！」と看護婦はいった。

「考えなおしませんか？」と小児科の医者が思いつめたようにいった。

「考えなおしません」と鳥はかたくなにいった。「お世話になりました」

「いや、ぼくはなにもお世話しませんよ！」と医者は鳥の挨拶を拒んでいった。

「それでは、さようなら」

「さようなら、お大事に」と医者は眼のふちを染めて、いま自分の発した大声を悔むように、鳥とおなじくらい低い声でこたえた。


　鳥たちが寝籠をかかえて特児室を出ると、所在なげに廊下にたたずんでいた入院患者たちがいっせいに寝籠の赤んぼうへ向ってきた。鳥は恐しげな眼つきでかれらを睨みつけ、両肱を張って寝籠をかばいながらどんどん歩いた。火見子は小走りにかれを追った。鳥の見幕にあっけにとられた入院患者たちは不審げながらもおそらく籠のなかの赤んぼうのために微笑して暗い廊下の両脇に身を避けた。


「あの医者か看護婦が警察に報告するかもしれないわ、鳥」と火見子が後ろをふりかえってみながらいった。

「報告しないだろう」と鳥は粗暴な声でいった。「連中もいったんは薄いミルクと砂糖水で赤んぼうを衰弱死させようとしたんだから」


　本館の正面玄関にさしかかると、鳥はそこに群れている外来患者たちの厖大な好奇心から、寝籠のなかの赤んぼうを自分の両肱だけで守りぬくことはまさに不可能だと感じた。鳥は敵軍のメムバーがびっしり整列しているゴールにむかって、単身ラグビー・ボールをかかえて突入しようとする選手の気分だった。かれは躊躇しそれから思いだして、

「ぼくのズボンのポケットから帽子をとりだして、この頭のうしろを覆ってくれないか？」といった。

かれの頼みに応じながら火見子が腕をおののかせるのを鳥は見た。それから鳥たちは、おしつけがましい微笑とともにかれらにすりよってくる他人どものなかをしゃにむに突破した。

「可愛い、赤ちゃん、天使みたい！」などと歌うようにいう中年女がいて、鳥は軽蔑されたような気がしたが、それでも頭をさげたまま立ちどまらずに、一気にそこを通りぬけたのだった。

病院前広場には、いま幾度目かの驟雨が降りそそいでいた。火見子の車は雨のなかを水スマシのように素早く、寝籠を抱えて待つ鳥のところまで後退してきた。鳥はまず車のなかの火見子に赤んぼうの寝籠をわたし、それから自分も車に乗りこむと寝籠をとりもどした。寝籠を膝の上に安定させるためにはエジプトの王の石像さながら上体を垂直にたもたねばならない。

「いい？　鳥」

「ああ、いいよ」と鳥はいった。

スポーツ・カーは競技場での出発さながら猛然と跳びだした。鳥は幌の支柱に耳をしたたかうちつけ息をつめて痛みを耐えた。

「いま何時かしら？　鳥」

鳥は右手だけで寝籠を支え、腕時計を見た。針はナンセンスな時間をさして停っていた。鳥はこの数日来、習慣的に腕時計をつけてはいるものの、一度も時間を読みとろうとせず、もとよりゼンマイを巻くことも時間を調節することもしなかったのだった。鳥は奇怪な赤んぼうに咬みつかれていない平穏な日常生活をおくる連中の時間圏外で、数日来、生きてきたという気持だった。そして現在もなお、鳥は他人どもの時間圏に復帰していない。

「時計がだめなんだよ」と鳥はいった。

火見子はカー・ラジオのスイッチを押した。ニューズ番組で、男のアナウンサーが、モスクワの核実験再開のその後の波紋について語っている。日本原水協はソヴィエトの核実験を支持するむね声明した。しかしその内部には様ざまの動きがあって、次の原水爆禁止世界大会は混乱におちいる可能性がある。原水協の声明に疑問をもつ広島の被爆者の声の録音が挿入される。いったい、きれいな核兵器というものがあるのですか？　それがソヴィエトの人間の手によってシベリアで実験されるにしても、人畜に無害な原水爆というものがあるのですか？

火見子は他の局のボタンを押す、そこではポピュラー音楽をやっている。タンゴだ、もっとも鳥にはすべてのタンゴが、おなじひとつのタンゴのように聞こえる。それは永ながとつづき、火見子はついにスイッチを切ってしまう。鳥たちは時間にめぐりあうことができない。

「鳥、原水協はソヴィエトの核実験に屈伏したのね」と切実に興味をひかれているというのではない様子で火見子がいった。

「ああ、そのようだ」と鳥はいった。

他人どもの共通の世界で、人間一般のためのただひとつの時間が進行し、世界じゅうの人間がおなじひとつの運命と感じる悪しき運命がかたちづくられつつある。しかし鳥はかれの個人的な運命を支配している赤んぼうの怪物の寝籠にかかりきりだ。

「ねえ、鳥（バード）。この地上には、政治的にとか経済的にとか、直接、間接の利益を核兵器の生産から得る人間たちとは別に、ただ純粋に核戦争を望んでいる、そういう人間がいるのじゃないかしら。たいていの人間が、とくに理由もなく、この地球の存続を信じて、また、それを望んでいるように、その黒い心をもった人びとは、やはりこれという理由もなく、人類の滅亡を信じて、それを望んでいるのじゃないかと思うのよ。鼠みたいに小さなレミングという北地産の獣は時どき、集団自殺をすることがあるというけど、この地上にはレミング風の人びとがいるのじゃないかしら、鳥（バード）」

「黒い心をもった、レミング風の人間？　それこそ早急に国連でつかまえる対策を練らなければならないね」と鳥（バード）は相槌をうった。

しかしかれ自身は黒い心をもったレミング風の人間どもをつかまえにゆく十字軍に加わりたいと思わなかった。むしろ鳥（バード）は自分の内部に、その黒い心をもったレミング風の存在が、かすめてすぎるのを感じているのだった。

「暑いわね、鳥（バード）」とそれまで話してきたことに自分自身とくに興味を見出しているわけではない、という具合に火見子はそっけなく話題をかえた。

「ああ、確かに暑い」

ぶるぶる震える薄い金属板の床からエンジンの熱気が這いのぼりつづけたが、スポーツ・カーの幌が、鳥（バード）たちを密閉しているので、しだいにかれらはムロに押しこめられているような気分になった。しかし幌の一部をはずせばそこから風に乗った雨滴が降りこむことはあきらかだ。鳥（バード）は未練がましく幌の具合をちょっと調べてみた。それはよほど旧式な幌なのだ。

「どうしようもないわ、鳥。時どき車を駐めてドアを開けましょう」と鳥の落胆ぶりを見てとった火見子がいった。

鳥は車の前方に死んだ雀が一羽、雨に濡れてころがっているのを見た。火見子もそれを見た。鳥たちの車はそれに向って走り、それが視界から沈んだとき、車は大幅に斜めに曲って、黄色に濁った水がカムフラージュしていた舗道脇の深い穴ぼこにタイヤをおとしこんだ。鳥は寝籠を支えた両手の指を強く撃ちつけた。車が堕胎医の病院につくまでにおれは体中を生傷だらけにするだろう、と鳥はもの悲しく考えた。

「ごめんね、鳥」と火見子がいった、彼女もまた体のどこかをぶっつけたにちがいなく、それは苦痛を耐えている声だった。鳥も火見子も死んだ雀のことにはふれずにいようとしていた。

「とくにたいしたことはない」

鳥はそういって膝の上の寝籠の位置をもとに戻し、車に乗りこんでからはじめて赤んぼうの顔をまっすぐ見おろした。赤んぼうはますます真赭な顔をしていたが、呼吸をしているのかどうか判然としなかった。窒息しかけているような印象。鳥は恐慌にとらえられて、寝籠を揺りたてた。突然、赤んぼうは鳥の指に嚙みつきそうに口腔をいっぱいに開いて信じがたいほどの大声で泣き喚きはじめた。ほんの一センチほどの糸きれのような硬く閉じた眼から透明な大粒の涙をつぎつぎに分泌し、小刻みに身震いしながら、果てしなく、アイ、アイ、イヤー、イヤー、イヤー、イエー、イエ、イエー、と赤んぼうは泣きたてた。鳥は恐慌からのがれたとたんに、こんどは叫びたてる赤んぼうの薔薇色の唇を掌で覆ってしまおうとして、新しい恐慌の感情とともにそれを危うく抑制した。赤んぼうは、頭の瘤にかぶせられた仔山羊の模様の帽子をびくびく震わせて、アイ、アイ、アイ、イヤー、イヤー、イエー、イエ、イエーと泣き喚きつづけた。

「泣いている赤ちゃんの声は、いろんな意味を含んでいるような気のするものなのね」と火見子が赤んぼうの泣き声にさからって自分も声をはりあげながらいった。「人間のありとある言葉のすべての意味をはらんでいるのかもしれないわ」

赤んぼうは、なおも、アイ、アイ、アイ、イヤー、イヤー、イヤー、イエー、イエ、イエ、イエーと泣き叫んだ。

「われわれにそれを聴きとる能力がなくてさいわいだよ」と鳥(バード)は不安にかられていった。

鳥(バード)たちの車は泣きつづける赤んぼうの声を載せて走った。それは五千匹の油蟬をつみこんで走るようだったし、また鳥(バード)たちが一匹の油蟬の胴にもぐりこんで飛んでいるような感じでもあった。やがて鳥(バード)たちは車にこもった熱気と赤んぼうの叫喚に対抗しきれなくなった。かれらは車を舗道脇によせ、駐車してドアをひらいた。車のなかの湿っぽく暑い空気、熱病患者のおくびみたいな空気が、唸りをあげんばかりの勢いで流れだしてゆき、雨のしぶきとともに冷たく濡れている外気が奔入してきた。体じゅう汗ばんでいた鳥(バード)たちはすぐさま寒気を感じ身震いした。鳥(バード)の膝の寝籠のなかにもいくらかの雨滴はしのびこみ、赤んぼうの真赭に輝いている頬に、涙よりずっと小さな粒つぶとなってこびりついた。赤んぼうはなおも泣き喚きたてていた。いま赤んぼうはアイ、アイ、アイと小刻みに泣いては時どき発作めいて咳こんだ。その全身をおののかせる咳はあきらかに異常で、この赤んぼうに呼吸器の疾患があるのではないかと疑わせる。鳥は寝籠をかたむけやっとのことで雨滴をしめだした。

「あのように管理された空気のなかで保護されていた赤ちゃんが、急にこんな外気にふれたのでは、肺炎をおこしかねないわよ、鳥」

「ああ」と鳥はいった、かれは重く根深い疲労を感じていた。

「困ったわね」

「こういう時、赤んぼうを泣きやめさせるためには一体どうすればいいんだろう？」と鳥は自分のことをじつに無経験な人間だと感じながらいった。

「乳房をふくませるのはたびたび見たけど」と火見子はいってからぎくっとしたように口をつぐみ、それから急いでこうつけ加えた。「ミルクを用意してくるべきだったのよ、鳥」

「薄いミルク、それとも砂糖水か？」と疲労からシニックになった鳥はいった。

「薬局に行ってみるわ。なんというのだったか、ほら、乳首を模造した、あのオモチャがあるかもしれないから」

そして火見子は雨のなかを駈けだして行った。鳥は確信もなく寝籠を揺さぶってみたりしながら、平べったい靴をはいて駈けてゆく情人の後ろ姿を見送った。彼女はおなじ年齢の日本の女たちのうち最良の教育をうけたひとりだが、その教育はむなしく持腐れになろうとしているし、彼女にはごく一般の女たちの日常生活の知恵もない。彼女はおそらく終生自分の子供を生むこともないだろう。鳥は大学の初年級のころの、そろって生きいきした女子学生たちのグループのなかのもっとも生きいきした火見子のことを思いだし、泥水をはねちらして不器用な犬のように駈けて行った現在の火見子に憐憫を感じた。若さとペダントリーと自信にあふれたあの女子大生の未来に誰がこの火見子を予想したろう？　鳥が寝籠を抱えて残っている車の脇を、数台の遠距離輸送トラックが犀の一族のように地響きをたてて轟々とおりすぎた。鳥と赤んぼうは車ともども震動した。鳥はトラック群の轟音のうちに意味のはっきりしない、しかし鋭く切迫した呼びかけを聴いたように感じた。それは幻聴にきまっていたが、鳥はしばらくのあいだ、むなしく耳をすましていた。

火見子は、暗闇にひとりぼっちで坐って憤懣にとらえられている時の表情みたいにいかにもおおっぴらに他人の眼にかまわず顔をしかめ、雨まじりの突風にさからって戻ってきた。彼女はもう駈けてはいなかった。鳥は彼女の大柄な全身にもまた、かれ同様醜いほどの疲労をみてとった。しかし火見子は車に戻ると、あいかわらず泣き叫んでいる赤んぼうの声を圧して嬉しげに、

「あの赤ちゃんのくわえているオモチャの名前、オシャブリだったわ、度わすれしていたのよ。ほら二種類、買ってきたわ、鳥」といった。

オシャブリという言葉を遠い記憶の倉からさぐりだしたので、なんとなく自信を回復したわけだ。しかしひろげられた火見子の掌にのっているその黄土色のゴムでつくったもの、カエデの翼をつけた果実を大きくしたようなものは、鳥の赤んぼうにはおそらくまだあつかいかねる、困難な器具のように見えた。

「青い芯がはいっているのは、歯がため用で、もっと成長した子供のためなのよ、鳥。こちらの

芯のない、くにゃくにゃした方がきっと役にたつわ」と火見子はいって、それを、泣き喚く赤んぼうの桃色の口腔にあてがった。

なぜ歯がため用まで買ったんだ？　と鳥はいおうとした。そして歯がため用どころか、案の定もっと幼ない者のためのそれにすら、赤んぼうが反応しないのを見た。赤んぼうは口にさしこまれたそれに対して、舌で押しだすようなわずかな動きをみせただけだった。

「だめらしいわ、早すぎるのね」と暫く試みたあと、火見子はすっかり落胆し再び自信をうしなっていった。

鳥は批評をさしひかえた。

「だけど他に赤ちゃんをおとなしくさせる方法は知らないわ」と火見子は途方にくれていった。

「それじゃ、このまま出発するほかないよ。そうしよう」と鳥はいって自分の側のドアを閉ざした。

「いま薬局の時計で四時だったわ、五時までには病院へつけると思うの」と火見子はエンジンを始動させながら恐い顔をしていった。彼女もまた不機嫌の極北にむかっているのだ。

「おそらく一時間も泣きつづけはしないだろう」と鳥はいった。

五時三十分、赤んぼうは泣き疲れて眠りこんでいたが、鳥たちはなお、目的の場所へたどりついていなかった。鳥たちの車はひとつの窪地をすでに五十分も堂どうめぐりしていたのである。

そこは北と南の高台にはさまれた窪地で、鳥（バード）たちの車は坂を昇ったり降りたりし、濁った水が勢いよく流れている曲りくねった細い川をくりかえし渡り、袋小路に迷いこんだり、逆に高台の向うがわへ出てしまったりした。火見子は問題の病院の玄関まで車を乗りつけた記憶をもっていたし、高台に登ると、おおよその位置の見当をつけることもできた。ところがいったん人家の密集した窪地へ降りてくると、舗装の不十分な幅の狭い道が縦横に交錯して、鳥（バード）たちにはかれらの車が現にどの方角へ向っているのかすら不確かになってしまうのである。やっと火見子が見おぼえている通りにさしかかると、絶対に道をゆずらない小型トラックに行きあって百米も後退しなければならず、トラックをやりすごしてもとに戻ろうとすると、鳥（バード）たちの車は、もう前とはちがう曲り角をまがってしまっている。そして次の曲り角は一方交通で引き返し不能だ。

鳥（バード）も火見子もずっと黙りこんでいた。かれらはあまりに苛だっていたのでおたがいを傷つけないでなにごとかをいう自信をもたないのだった。この四つ角はすでに二度も通った筈だ、という程度のことさえ、かれらのあいだにたちまち鋭い罅われを招来しそうな危ない言葉に感じられた。とくに鳥（バード）たちは、たびたびひとつの交番の前を通過した。それは鄙びた古い村役場のような建物で、樹幹の成長度も葉の茂りもまったくちがう雌雄二株の銀杏が入口にむかいあっている。鳥（バード）たちは、銀杏の奥の警官の注意を喚起することを惧れて、交番に差しかかるたびにおっかなびっくりでそこを走り過ぎた。警官に病院の所在をたずねることなど思いもよらない。鳥（バード）たちは商店街の傭人たちに病院の番地をたしかめることすらしかねていたのだ。頭に瘤をつけた赤んぼうをのせたスポーツ・カーが、風評のすでにいかがわしいその病院をおとずれた、という噂がたてば厄介なことがおこるにちがいない。医者が火見子との電話で、病院の近くでは煙草屋などにもたちよらないでくれ、とわざわざ念をおしたというほどなのだ。そこで鳥(バード)たちは、ほとんど果てしなく感じられてくる堂どうめぐりをつづけていた。明日の夜明けまでかかっても、目的の病院へたどりつくことはできないのではないか？　もともとそういう赤んぼうを殺すための病院など存在しないのではないか？　という強迫観念が鳥(バード)をとらえていた。それに鳥(バード)をなやます執拗な睡気。かれは眠りこんで赤んぼうの寝籠を膝からおとしてしまう不安にみまわれた。赤んぼうの瘤の表皮が頭蓋骨の穴から露出した脳の実質を包む硬脳膜ならそれはたちまち砕けてしまうだろう。そして赤んぼうは、変速ギアとブレーキのあいだに滲みこんできて鳥(バード)たちの靴を汚している泥水にまみれ、呼吸困難をおこして苦しみながら死ぬだろう、それはあまりにも最悪の死だ。鳥(バード)は睡気から逃れようと懸命につとめていた。それでも一瞬、意識の暗がりに沈みこんだ鳥(バード)は、

「眠らないでね、鳥(バード)」という火見子の緊張した声に呼び戻された。

寝籠が膝のうえをすべりおちようとしていた。震えあがって鳥(バード)はそれをしっかり抱えこんだ。

「わたしも眠いわ、鳥(バード)、事故をおこしそうで恐い」

すでに濃い夕暮の気配が窪地に舞いおりてきていた。颪はおさまっていたが、雨は窪地に居すわっていつのまにか霧にかわり視界を浅く閉ざしていた。火見子が前照燈のスイッチを押すと片側だけ点った。火見子の子供じみた情人の厭がらせが効果を発揮しはじめたわけだ。鳥(バード)たちの車が次に二本の銀杏のまえへ差しかかった時、ついに若い農夫みたいな警官が悠揚せまらず交番から出てきてかれらを制止した。

鳥たちは青ざめ汗にまみれたまさにいかがわしい風体で、開かれたドアから腰をかがめて覗きこむ警官の眼にさらされた。

「免許証！」と過度にものなれた様子で警官はいった。鳥の予備校の生徒ほどの年齢の警官だが、自分が鳥たちを脅かしていることを確実に知って愉しんでいる。「この車が片眼だということはねえ、きみらが最初に通りすぎた時から気がついていたんだな。それをせっかく見逃してやったのに、こう何度も廻ってこられては仕方ないよ。それも片眼だけ光らせてのんびりやってくるのじゃ、本当に仕方ないよ。こちらの威信にかかわるんだから！」

「はい」と火見子が感情をうしなった中性的な声でいった。

「赤んぼうをつれているのかね？」と警官は火見子の態度に気を悪くした様子でいった。「車を置いて、赤んぼうは抱いていってもらうかなあ」

寝籠のなかの赤んぼうはいま異様に赤い顔をして鼻孔とひらいた口腔といっしょに、音をたてて荒く呼吸をしていた。肺炎をおこしたのではないか？ という疑いが一瞬鳥に、覗きこんでいる警官の存在を忘れさせた。鳥は赤んぼうの額にこわごわと掌をふれた。それは人間の体温の感覚とはすっかり質のちがった刺すような熱をつたえてよこした。鳥は思わず声をたてた。

「え？」と驚いた警官が年齢にふさわしい声に戻って訊ねた。

「赤ちゃんが病気なんです。それで、前照燈が壊れているのに気がついてはいたんですけど、そのままでかけたんです」と火見子がいった、彼女は警官の動揺に乗じてなにごとかもくろんでいた。「ところが道に迷ってしまって困っています」

「どこへ行くのかね？ なんという病院かね？」

火見子はためらったあと、ついに病院の名前をいった。警官はそれが車の停っているすぐ脇の小路のつきあたりだと教えたあと、自分が単純なお人好し警官ではないことを示したがって、

「しかしこんなに近いんだから車を降りて行ってもいいだろう？ そうしてもらうかなあ」といった。

火見子がヒステリックに猿臂をのばして、赤んぼうの瘤をおおっている毛糸の帽子を剝ぎとった。それは若い警官を決定的に一撃した。

「できるだけ動揺をあたえないで運ばなければならないので」

火見子は追撃し圧倒しさった。警官は悔んでいるようにすごすごと免許証をかえした。

「病院に赤んぼうを運んだら、車をすぐ修理工場へ廻してください」と警官は赤んぼうの瘤になお眼をうばわれたまま愚かしいことをいった。「しかし、ひどいですなあ！ これは脳膜炎ですか？」

鳥（バード）たちは警官に教えられた小路に車を乗りいれた。病院前で車を駐めると、火見子は、余裕を回復してこういった。

「免許証の番号も名前も、なにひとつノートしなかったわ、あのぼんやりした警官」

鳥（バード）たちは木造モルタルの病院の玄関に赤んぼうの寝籠を運びこんだ。看護婦たちや患者たちの気配はなく、火見子が声をかけるとすぐさま麻のタキシードどころか、おぞましいシミだらけの白衣を着た卵型の頭の男があらわれた。かれは鳥（バード）をまったく無視し、魚の行商人から魚を買いでもする時のように、寝籠のなかを覗いて見ながら、

「遅かったねえ、火見子ちゃん、いたずらだったかと考えはじめていたよ」と粘りつくような声でおだやかになじった。

鳥(バード)は病院の玄関があまりにもあからさまに荒廃した印象なのに心底脅かされていた。

「なかなか道筋がわからなかったのよ」と火見子が冷淡にいった。

「途中でなにかひどいことをしてしまったのかと思ったよ。いったん赤んぼうを殺すと定めると、けじめがつかなくなって、衰弱死でも絞殺による死でも同じじゃないかと考えたりする過激派がいるからね。ふむ、ふむ、可哀想にねえ、肺炎までおこしかけているね」と医者はやはりおだやかにいいながら赤んぼうの寝籠をゆっくり抱えあげた。

13

鳥(バード)たちは修理工場にかれらのスポーツ・カーを置き、タクシーを拾って火見子の知っている男色家の酒場へ出かけた。かれらは疲れきり、睡気になやまされていたが、それよりももっと、はてしなく口腔が乾いてくるような隠微な昂奮がかれらをとらえていて、二人きりであの暗い家に戻ることを避けたい気分にしていた。

鳥(バード)たちはガス燈を拙劣に模した螢光ランプのガラス覆いに、青いペンキで《菊比古》と書いた酒場を見つけだしてタクシーを降りた。不揃いな角材や板でどうにか形をたもっているだけのドアをあけて入って行くと、短いカウンター及びその逆の側に異様なほど背もたせの高い古風な椅子が二組ならんでいるだけの、家畜小屋みたいに殺伐とした狭い酒場だった。まだ客たちはかれらの他にひとりもいず、カウンターの向う隅に立っている小柄な男が、二人の闖入者をむかえた。警戒しながら二人を素早く吟味しているが、決して拒否してはいない、羊みたいに潤んだ眼と、少女のような唇をもった、全体に妙に丸っこい印象の男だ。鳥は、ドアのすぐ内側に立ちどまったまま、男を見かえした。男のあいまいな笑顔の薄膜ごしに、地方都市での年少の友人の面影がしだいに浮びあがった。

「やあ、ひどい様子で、お火見さん」と男はあいかわらず鳥を見まもったまま、もぐもぐと小さな唇をうごかしていった。「わたしは、この人を知ってるよ、ずっと以前、鳥という渾名だった人じゃない？」

「ともかく掛けましょう」と火見子が鳥にいった。

火見子は鳥と菊比古の数年ぶりの再会の劇にアンチ・クライマクスの雰囲気しか見出さないようなのだ。鳥もまたその菊比古からとくに切実な感情を喚起されるというのではなかった。かれは疲労しきり、眠く、この世界にはかれの生きいきした興味をひくものなどなにひとつなくなったという風に感じていた。なんとなく鳥は火見子からいくらか距離をあけて坐った。

「いま、この人の渾名はなんというの？　お火見さん」

「鳥」

「まあ、あいかわらず、鳥？　もう、七年にもなるのに」と男はいって鳥に近づいた。「鳥、なにを飲む？」

「ウイスキーをストレートで」

「お火見さんは？」

「おなじもの」

「二人ともなんだか疲れているみたいね、まだ、夜も早いのに」

「性的な話じゃないわ。午後ずっと死にもの狂いで車を走らせていたのよ」

鳥はかれのために充たされたウイスキーのグラスをとりあげようとし、なんとなく胸がつかえるのを感じてためらった。菊比古、まだ二十二歳にしかならないはずなのに、おれよりもずっとしたたかな大人の年齢にたっしているように見え、逆に十五歳のころのままの要素を多分に残しているようにも見える、ふたつの年齢のあいだの両棲類みたいな菊比古。かれは自分でもウイスキーを生で飲んでいた。かれは素早く一杯目を飲みほした火見子と自分のために、おかわりをたっぷり注いだ。なんとなくかれの動作を見まもっている鳥を、菊比古は怒った猫のように全身に神経をさかだててうかがっていた。それから思いきって鳥に向きなおると、

「鳥、わたしのこと思いだした？」と菊比古はいった。

「ああ、もちろん」と鳥はいった。鳥はゲイ・バーの経営者というような職業の人間とはじめて言葉をかわすのだった。奇妙なことにその意識が、数年ぶりにめぐりあった、かつての友人と話しているという意識よりも濃く支配的に感じられた。

「あの日以来ね、鳥。となりの市に行って、顔の下半分のないアメリカ兵が汽車の窓から外を眺

めているのを見た日以来ね」

「そのアメリカ兵というの、どういうこと？」

菊比古は鳥をしげしげと見まわしながら、火見子に答えた。

「朝鮮で戦争があったころで、戦傷兵が、日本の基地におくりかえされてきたのよ、汽車いっぱいにつみこまれて。わたしたちがその汽車に出あったわけ。鳥、ああいう汽車は、わたしたちの地方をたびたび通過したのかしらねえ？」

「そんなにたびたびじゃないだろう」

「日本人の高校生が人買いにつかまって、戦争につれてゆかれるという噂や、政府そのものがわたしたちを朝鮮に送りだすという噂もあって、あのころは恐かったなあ」

そうだ、こいつはひどく恐がっていたんだ。真夜中に喧嘩別れしたときにも、おれは恐かったんだよ、と叫んでよこしたものだった、と鳥は考えた。それから鳥は赤んぼうのことを考え、あいつにはまだ恐がる能力もない、と思って安堵したが、それはあやしげで脆い安堵だった。鳥は赤んぼうに集中しはじめる意識をむりやり脇にそらそうとして、

「あれはまったく無意味な噂だったね」といった。

「無意味な噂だったにしても、あれらの噂にかりたてられていろんなことをしてしまったんだから！」と菊比古はいった。「それで鳥、あなたが追いかけていった気違いは無事つかまえた？」

「あいつは城山で首をくくって死んでいたんだよ。結局、骨おり損だったのさ」と鳥は古い遺憾の感情の味を舌のさきに酸っぱくよみがえらせていった。「夜明けに犬どもとぼくとが見つけて

ね。あれこそ、まったく無意味だった」

「そうじゃないよ、鳥。夜明けまで追いかけたあなたと、真夜中に脱落して逃げだしてしまったわたしとでは、それ以後の人生がすっかりちがったもの。あなたはわれわれ不良少年とつきあうのをやめて東京の大学に入ってしまったし、わたしは、あの夜以来ずっと下降しつづけで、いまも現にゲイ・バーなどへもぐりこんでいるわけよ。鳥があの時、ひとりで出かけてしまわなかったとしたら、わたしもいくらかちがったやりかたで生きてきたと思うなあ」

「鳥がその夜、菊比古を見棄てなければ、菊比古はホモ・セクシュアルにもならなかった？」と火見子がさしでがましく訊ねた。

　鳥は困惑して菊比古から眼をそらした。

「ホモ・セクシュアルの人間とは、同性愛を実行することを選んだ人間だ、というでしょう？わたし自身がそれを選んだのだから、責任は他の誰にもないよ」と菊比古がおだやかにいった。

「菊比古はフランスの実存主義者の言葉も知っているのね」

「ゲイ・バーの主人は博識でなければつとまらないのよ」と菊比古は営業用のエロキューションらしい歌うような調子でいった。それから地の声にかえると鳥にむかって「脱落したわたしが下降しつづけているあいだ、鳥は上昇しつづけたんだけど、いま、あなたなにをしている？」

「予備校の講師をしてるんだけど、夏休からあとは馘になることにきまっていてね。上昇どころじゃない」と鳥は答えた。「しかも、おかしなごたごたに追いかけられどおしでね」

「そういえば、二十歳の鳥が、こんな風に意気銷沈してしまうことはなかったなあ。いま鳥はなにかを恐がっていて、それから逃げだそうとしている感じだけど」と機敏な観察力を発揮して菊比古はいった、かれはもう鳥の知っている、かつての単純な菊比古ではないようだった。かれの脱落と下降の生活はきわめて複雑な日々だったのだろう。

「そうだ、ぼくはぐったりしているし、恐がっているし、逃げだそうとしているよ」と鳥はいった。

「二十歳の鳥は、あらゆる種類の恐怖心から自由な男でね。鳥が恐怖におそわれているところなど見たこともなかったのに」と菊比古は火見子にいった、それから直接鳥に、「いまのあなたは、恐怖心にとても敏感そうだなあ。恐がって尻っ尾をまいている感じだなあ」と挑発するようにいった。

「ぼくはもう二十歳じゃないのでね」と鳥はいった。

「かれは昔のかれならず」と菊比古はじつに冷たい他人の表情をむきだしていうと、思いきりよく火見子の傍へ移っていった。

それから菊比古と火見子がダイス・ゲームをはじめたので、鳥は解放されてほっとし、自分のためのウイスキーのグラスをとりあげた。菊比古と鳥は七年間の空白のあと七分間の会話だけでおたがいの好奇心にあたいするものをすべて消耗しつくしたわけだった。おれは二十歳でない。いまおれが喪わず所有している二十歳の時分とおなじものは鳥という子供じみた渾名だけだ。そこで鳥はその永かった一日の、最初のウイスキーをひと息に飲みほした。数秒後、突然に、かれの体の奥底で、なにかじつに堅固で巨大なものがむっくり起きあがった。鳥はいま胃に流しこんだばかりのウイスキーをいささかの抵抗もなしに吐いた。菊比古が素早くカウンターをぬぐい、コップの水をさしだしてくれたが、鳥は茫然として宙を見つめているだけだった。おれは赤んぼうの怪物から、恥しらずなことを無数につみ重ねて逃れながら、いったいなにをまもろうとしたのか？　いったいどのようなおれ自身をまもりぬくべく試みたのか？　と鳥は考え、そして不意に愕然としたのだった。答は、ゼロだ。

鳥は丸椅子から腰をずらしてゆっくり床に降りたった。そして鳥は疲労と急速な酔いに弛緩した眼で問いかけるようにかれを見つめる火見子に、

「ぼくは赤んぼうを大学病院につれ戻して手術をうけさせることにした。ぼくはもう逃げまわることをやめた」といった。

「あなたは逃げまわっていないじゃない？　どうしたの、鳥。いまさら、手術などと」と火見子が訝かしげに問いかえした。

「あの赤んぼうが生れた朝から今までずっと、ぼくは逃げまわっていたんだ」と鳥は確信をこめていった。

「いま、あなたは自分の手とわたしの手を汚して赤んぼうを殺しつつあるのよ。それは逃げまわっていることじゃないでしょう？　そして、わたしたちはアフリカへ出発するんだから！」

「いや、ぼくはあの堕胎医に赤んぼうをまかせてここへ逃げてきたんだ」と鳥は頑強にいった。「そして逃げつづけ、逃げのびてゆく最後の土地としてアフリカを思いえがいていたんだ。きみ自身も、やはり逃げているのさ。公金拐帯犯と一緒に逃げているキャバレーの女みたいなものにすぎないよ」

「わたしは自分の手を汚して立ちむかっているわ、逃げてはいないわ」と火見子がヒステリー症

「手術して赤ちゃんの生命を救ったにしても、それがなにになるの？　鳥。かれは植物的な存在な手さぐりしたあげく、もうひとつ別の攻撃法を見つけだしてそれにすがりついた。

身への信頼を回復していた。火見子は眼にいっぱい涙をため鳥を睨みつけて、せわしなく心理的

鳥は冷静にそういった。かれは自分がついに欺瞞の最後の罠をまぬがれたことを感じ、自分自

かるべきだ。ぼくは責任をとるだろう」

「そういうことになれば、それこそぼくが自分の手で直接に殺したわけだ。ぼくは逮捕されてしなかで赤ちゃんは死んでしまうわ。そうなれば、あなたはもう逮捕されるほかない」

「鳥、赤ちゃんはいま肺炎をおこしかけているのよ、大学病院へつれ戻すにしても、途中の車の

火見子は威嚇するように指をふりたてて鳥を遮ぎった。

ていたことだが、ぼくはそれを認める勇気に欠けていたんだ」

接に縊り殺すか、あるいはかれをひきうけて育ててゆくかの、ふたつしかない。始めからわかっ

「赤んぼうの怪物から逃げだすかわりに、正面から立ちむかう欺瞞なしの方法は、自分の手で直

にならないのだ。

せて鳥を睨みつけた。そしてもどかしげに身もだえしながら、鳥を反駁しようとしたがそれは声

火見子はぐんぐん充血し腫れあがってくる大きい顔に怒りのきらめきと絶望の予感をみなぎら

が現に自分の手を汚して殺人をおこなおうとしている人間の態度か？」

「きみは今日、死んだ雀を轢くまいとして穴ぼこへ車をおとしたことを覚えていないか？　あれ

状の深みにおちこみながら叫んだ。

でしかないといったでしょう？　あなたは自分自身を不幸にするばかりか、この世界にとってまったく無意味な存在をひとつ生きのびさせることになるだけよ。それが、赤ちゃんのためだとでも考えるの？　鳥」

「それはぼく自身のためだ。ぼくが逃げまわりつづける男であることを止めるためだ」と鳥はいった。

　しかし火見子はなお、理解しようとしなかった。彼女は疑わしげに、あるいは挑むように、鳥を睨みつけ、眼いっぱいに湧きおこる涙をものともせず薄笑いをうかべようとつとめながら、

「植物みたいな機能の赤んぼうをむりやり生きつづけさせるのが、鳥の新しく獲得したヒューマニズム？」と嘲弄した。

「ぼくは逃げまわって責任を回避しつづける男でなくなりたいだけだ」と鳥は屈せずいった。

「ああ、わたしたちのアフリカ旅行の約束はどうなるの？」と火見子は激しく啜り泣いた。

「お火見さん、見苦しいよ。もう、おやめ！　鳥が自分自身にこだわりはじめたら、他人の泣き声なんか聴きはしないよ」と菊比古がいった。

　鳥は羊の眼のように潤んでいた菊比古の眼に猛だけしい憎悪のごときものがきらめくのを見た。しかし菊比古のこの呼びかけが火見子に回復のきっかけをあたえたのだった。彼女は、数日前ウイスキー一瓶とともに最悪の状態で訪ねていった鳥をむかえいれてくれた、すでに若さを喪いつつある年齢の限りなく寛大で優しくおだやかなタイプの火見子に戻った。

「いいわ、鳥、あなたなしでもわたしは家と土地を売ってアフリカへ行くから。仲間にはわたし

の車のタイヤを盗んだ少年を一緒につれて行くことにするわ。考えてみれば、わたしはあの子にずいぶんひどいことをしてきたもの」と火見子は涙の気配を残しながらもヒステリー質の危機は確実にのりこえていった。

「お火見さんはもう、大丈夫だから」と菊比古が鳥をうながした。

「ありがとう」と鳥は火見子にとも菊比古にともなく素直に感情をこめていった。

「鳥、あなたはいろんなことを忍耐しなければならなくなるわ」と火見子が鳥を励ますようにいった。「さようなら、鳥！」

うなずいて鳥は酒場を出た。かれがひろったタクシーは雨に濡れた舗道をすさまじい速度で疾走した。もし、おれがいま赤んぼうを救いだすまえに事故死すれば、おれのこれまでの二十七年の生活はすべて無意味になってしまう、と鳥は考えた。かつてあじわったことのない深甚な恐怖感が鳥をとらえた。

＊　＊

秋のおわりだった。鳥が、脳外科の主任に退院の挨拶をして戻ってくると、赤んぼうを抱いた妻を囲んで、特児室の前に鳥の義父と義母が微笑しながら待ちうけていた。

「おめでとう、鳥、きみに似ているね」と義父が声をかけた。

「そうですね」と鳥はひかえめにいった、赤んぼうは手術して一週間たつと人間に近づき、次の一週間で、鳥に似てきた。「頭のレントゲン写真を借りてきましたから、帰ってからおみせしますが、頭蓋骨の欠損は、ほんの数ミリ程度の直径のもので、いま現にふさがりつつあるそうです。脳の実質が外に出てしまっていたのではなくて、したがって脳ヘルニアではなくて、単なる肉瘤だったんですね。切りとった瘤のなかにはピンポン球みたいに白く硬いものが二箇はいっていたそうです」

「手術が成功して本当によかった」と饒舌な鳥の言葉の切れめを狙って義父はいった。

「手術が永くかかって輸血をくりかえしたとき、鳥は幾度も自分の血を提供したので、とうとうドラキュラに咬まれたお姫様みたいに青ざめましたよ」と上機嫌でめずらしくユーモラスに義母がいった。「鳥は、獅子奮迅の活躍でした」

赤んぼうは環境の急変におびえてじっと竦んだように口をつぐみ、まだほとんど視力のない筈の眼で大人たちの様子をうかがっていた。鳥と教授は、くりかえし赤んぼうをのぞきこむので、ついかれらより遅れてしまう女たちの数歩先を話しあいながら歩いた。

「きみは今度の不幸をよく正面からうけとめて戦ったね」と教授はいった。

「いや、ぼくはたびたび逃げだそうとしました、ほとんど逃げだしてしまいそうだったんです」と鳥はいった、それから思わず怨めしさをおしころしたような声になりながら、「しかし、この現実生活を生きるということは、結局、正統的に生きるべく強制されることのようです。欺瞞の罠におちこむつもりでいても、いつのまにか、それを拒むほかなくなってしまう、そういう風ですね」

「そのようにではなく現実生活を生きることもできるよ、鳥。欺瞞から、欺瞞へとカエル跳びして死ぬまでやっていく人間もいる」と教授はいった。

鳥(バード)はちょっと眼をつむり、数日前アフリカのザンジバル行きの貨物船に乗りこんだ火見子の脇の、あの少年じみた男のかわりに、赤んぼうを殺した鳥(バード)自身が乗りこんでいる、充分に誘惑的な地獄の眺めをえがいてみた。火見子のいわゆるもうひとつ別の宇宙ではそのような現実が展開しているわけなのかもしれない。それから鳥(バード)は、かれ自身の選んだ、こちらがわの宇宙の問題にたちかえるべく、眼をひらいてこういった。

「赤んぼうは正常に育つ可能性もありますが、I・Qのきわめて低い子供に育つ可能性もおなじくあります。ぼくは赤んぼうの将来の生活のためにも働いておかなければなりません。もちろん、先生に新しい仕事の世話をしていただこうとは考えておりません。あのような失敗のあとでは、それはやはり先生の側からも、ぼくの側からも、許容される限界を越えたことだと思います。ぼくは、予備校や大学の講師という、一応上向きの段階のあるキャリアとはすっかり縁をきるつもりなんですよ。そして、外国人の観光客相手のガイドをやろうと思います。ぼくはアフリカに旅行して現地人のガイドを傭う夢をもっていましたが、逆に日本へやってくる外国人のための、現地人のガイド役をやろうと思うわけです」

教授は鳥(バード)に答えようとしたが、その時、渡り廊下をいっぱいに占領して若者たちの一群がやってきたので、かれらは脇によけて若者たちをやりすごさねばならなかった。若者たちは大仰に腕を吊ったひとりの仲間をかこみ鳥(バード)たちを全然無視して通りすぎて行った。かれらはみな、着くたびれて薄汚れ、この季節にはもううろ寒げな竜の刺繡のジャンパーを着こんでいた。そこで鳥(バード)はその若者たちが、赤んぼうの生れつつあった夏のはじめの真夜中、かれと闘ったグループであることに気づいた。

「ぼくはいまの連中を知っているんですが、なぜだか、かれらはぼくにまったく注意をはらわなかったようですね」と鳥はいった。

「きみはここ数週間ですっかり変ってしまった感じだから、そのせいだろう」

「そうでしょうか？」

「きみは変ってしまった」と教授が幾らかは愛惜の念もこもっている、あたたかい肉親の声でいった。「きみにはもう、鳥という子供っぽい渾名は似合わない」

　鳥は、赤んぼうを囲んでなおも熱中して話しあいながらかれらに追いついてくる女たちを待ちうけ、妻の腕にまもられた息子の顔を覗きこんだ。鳥は赤んぼうの瞳に、自分の顔をうつしてみようと思ったのだった。赤んぼうの眼の鏡は、澄みわたった深いにび色をして鳥をうつしだしたが、それはあまりにも微細で、鳥は自分の新しい顔を確かめることができなかった。家にかえりついたならまず鏡をみよう、と鳥は考えた。それから鳥は、本国送還になったデルチェフさんが、扉に《希望》という言葉を書いて贈ってくれたバルカン半島の小さな国の辞書で、最初に《忍耐》という言葉をひいてみるつもりだった。

本書は昭和三十九年八月、「純文学書下ろし特別作品」の
一冊として、新潮社から刊行された作品の新装版です。

個人的な体験

一九九四年一一月五日　発行

著　者　大江健三郎
装画者　司修
発行者　佐藤亮一
発行所　株式会社新潮社
東京都新宿区矢来町七一
郵便番号　一六二
電話　営業部〇三-三二六六-五一一一
編集部〇三-三二六六-五四一一
振替　東京四-八〇八
印刷所　二光印刷株式会社
製本所　加藤製本株式会社

価格はカバーに表示してあります。
乱丁・落丁本は、ご面倒ですが小社読者係宛お送り下さい。送料小社負担にてお取替えいたします。

ISBN4-10-303616-8 C0093